목걸이 사건의 수수께끼

목걸이 사건의 수수께끼

발 행 | 2024년 08월 09일
저 자 | 야마모토 슈고로 **번역** | 서지음 **감수** | 이경준
펴낸이 | 한건희
펴낸곳 | 주식회사 부크크
출판사등록 | 2014.07.15.(제2014-16호)
주 소 | 서울특별시 금천구 가산디지털1로 119 SK트윈타워 A동 305호
전 화 | 1670-8316
이메일 | info@bookk.co.kr

ISBN | 979-11-410-9974-9

www.bookk.co.kr

목걸이 사건의 수수께끼

야마모토 슈고로 지음
서지음 옮김
이경준 감수

(일러두기)

♠ 괄호 안 글씨는 작가가 적어둔 것입니다.

♠ 인명과 지명은 외래어표기법을 따랐습니다.

♠ 본문의 주는 옮긴이가 독자의 이해를 돕기 위해 붙였습니다.

목 차

제1화 위험해!! 잠수함의 비밀 ---- 5

제2화 검은 넥타이 조직의 마수 -- 23

제3화 해골섬의 대모험 ----------- 49

제4화 목걸이 사건의 수수께끼----- 82

옮긴이의 말 ------------------------------ 97

작가 연보 --------------------------------- 99

제1화 위험해!! 잠수함의 비밀

주운 암호지

"이게 뭐야?"

부립 중학교1) 교정에는 7월 한낮의 햇살이 비추고 있었다. 눈살을 찌푸릴 만큼 눈 부신 햇살 아래에서 축구 연습에 매진하던 2학년 학생 너덧이 트랙 구석에 모여 종이쪽지 한 장을 돌려 보면서 한창 이야기 중이었다.

"뭐야 시시해. 엉터리로 써놨잖아."

"아니야, 암호문 같아."

"암호면 하루타한테 보여주자. 그 녀석은 사람이 만든 암호라면 어떤 암호라도 풀 수 있다고 뻐기지 않았어?"

"그래, 하루타한테 보여주고 풀 수 있는지 한번 보자!"

다들 입을 모아 그렇게 떠들어대면서 종이쪽지를 들고 교실로 달려갔다. 그리고 등나무 아래에서 걸어오는 하루타 류스케와 마주쳤

---

1)1943년 도쿄가 도(都)로 개편되기 전까지의 행정단위는 부(府)였다. 소설을 발표한 해는 1930년으로 도쿄에서 설립하고 관리하던 중학교를 말한다.

다.
“하루타, 너 저번에 사람이 만든 암호문은 어떤 암호라도 풀 수 있다고 했지?”
하루타는 짙은 눈썹을 미세하게 움직이며 고개만 까딱 끄덕일 뿐 말없이 미소 지었다.
“좋아, 그럼 이거 풀어봐.”
하루타는 친구가 건넨 종이쪽지를 받아 들더니 자세히 보지도 않고 말했다.
“내일 연습시간까지 풀어올게.”
그리고 하루타는 아무 일도 없었다는 듯 총총걸음으로 반대편으로 가 버렸다. 모두 얼떨결에 소리쳤다.
“호락호락하지 않네!!”
하루타 류스케는 2학년 반장이었다. 류스케의 아빠, 하루타 박사는 대학의 물리학 교수로 그 영향도 있을 것이다. 류스케는 학교에서 수재였고, 류스케의 질문에 선생님도 가끔 대답하기 힘들어할 정도로 머리가 좋았다.

의문의 암호

집으로 온 하루타는 방에 틀어박혀서 친구한테 받은 종이쪽지를 꺼내 주의 깊게 살펴보기 시작했다. 암호지는 제법 고급스러운 흰색 모조지에 펜으로 적혀 있었다.

[○ツエイ　ハ　ヨ○八時三十分　ヨリ行ウ　○ショップ　○ンセン同伴ス]

이런 문장만 있었다. 하루타는 두 시간 정도 오로지 그 암호를 푸는 데에만 열중했다. 그리고 우선 문장 안의 동그라미 부분에 문자를 맞춰보고 다음과 같은 문장을 완성했다.

[サツエイ　ハ　ヨル八時三十分　ヨリ行ウ　ビショップ　ヤンセン同伴ス]

하루타는 'サツエイ는 촬영이겠지'라고 중얼거렸다. 'ビショップ(bishop)'은 목사니까 암호문은 *'촬영은 저녁 8시 30분부터, 얀센 목사 동반할 것.'*이라는 내용이 되었다.
거기까지 알아내자 이번에는 그 문장 뒤에 틀림없이 숨겨진 암호가 있으리라 생각한 하루타는, 한 번 더 알파벳 분석, 히라가나 분석, 오십음 분석법 등을 응용해서 그 문장을 뜯어보았다. 잠시 뒤 바로 문밖에서 하루타를 부르는 소리가 들렸다.
"오빠, 오빠!"
"들어와!"
하루타는 고개도 들지 않고 말했다.
"미안해"
방에 들어온 사람은 류스케의 여동생 후미코로 활발한 초등 6학년생이었다.
"무슨 일이야?"
"밥 먹자고. 오늘 밤 말이야, 실험실에서 아빠 실험이 있으니까 빨리 밥 먹고 도와주러 오라고 하셔."
"그렇지, 이거네. 곧 갈게."
"어라! 그거 뭐야? 오빠."

"이거? 이건 말이지 어느 외국의 중대한 군사 기밀이 담긴 암호문이야. 여기에 우리나라의 안위가 달려있어."

"어머! 정말이야?!"

"아하하. 거짓말이야. 학교 친구들이 날 시험해 보려고 장난친 거야. 아이들 속임수 같은 거지."

"에이, 실망이야. 놀랐잖아."

남매는 사이좋게 한목소리로 웃었다.

"그건 그렇고 후미코. 너 오빠가 가르쳐준 하루타식 위험신호 기억해?"

하루타가 물었다.

"그럼, 외웠지. 해볼까?"

후미코는 주머니에서 한 손에 들어오는 크기의 손전등을 꺼내 이렇게 비췄다.

"• • —— • • —— "

"이번에는 '도와줘요' 해 봐."

"• —— • • —— •"

"잘하는데!! 다음에 더 많이 알려줄게. 언제 도움이 될지 모르니까 말이야."

"자, 밥 먹으러 가자."

남매는 손을 잡고 방을 나왔다.

C.C.D 잠수함

그날 밤 하루타 박사의 실험실에서는 박사가 발명한 'C.C.D 잠수함'에 쓰이는 세계 최초의 무연료기관 실험을 하기로 돼 있었다. 어쨌든 이 기관이 완전히 성공하면 잠수함은 수십 시간이든 수백 시간이라도 해저에 있는 게 가능하고, 시속 300㎞ 정도를 낼 수 있으므로 가령, 해저에 잠수해서 얼마 안 가 태평양 횡단이 가능한 정말이지 어마어마한 발명이었다.

물론 하루타 박사의 발명은 세계 학자들이 선망하고 있어서 각국의 해군에서는 어떻게 해서든 이 발명품을 손에 넣으려고 미친 사람처럼 혈안이 되어 있었다.

그런 까닭에 그날 밤 실험은 하루타 저택의 넓은 정원에서 멀리 떨어진 곳에 마련한 실험실에서 극비로 진행하기로 했다. 그래서 해군 소장 야마가와 하치로 씨, 기관 대령 요코타 후민도 씨 단 두 사람만 초대되었고, 거기에 박사와 류스케의 조수로 후미코가 참여하기로 했다.

실험은 8시 30분부터여서 요코타 대령은 8시에 이미 실험실에 와 있었다. 그런데 어찌 된 일인지 야마가와 소장의 모습은 아직 보이지 않았다.

"야마가와 씨가 어쩐 일이지? 이미 8시 30분이 지났는데."

요코타 대령은 회중시계를 보면서 고개를 갸웃거렸다.

"그 사람은 시간 약속에 늦는 법이 없는데."

그 말을 했을 때, 문이 열리고 쌕쌕거리며 숨을 몰아쉬는 야마가와 소장이 나타났다.

"아이고, 늦었습니다. 오는 길에 자동차 사고가 나버려서."

“그랬어요? 우리는 무슨 일이 생겼나 걱정했습니다. 그럼 박사님, 실험을 시작하시죠!”
요코타 대령이 말했다.
실험실 창문과 문에는 철제 셔터가 엄중하게 부드득 소리를 울리며 내려왔다. 그리고 사람들은 실험실 중앙에 모여 있었다. 실험실 중앙에는 커다란 작업대가 놓여 있고, 2미터쯤 되는 복잡한 C.C.D 잠수함용 기관의 모형이 붙어 있었다. 박사는 우선 작업대 위에 설계도를 펼치고 조용한 어조로 발명의 요점을 말하기 시작했다.
류스케는 사람들과 조금 떨어진 곳에 서서, 만일을 위해 놔둔 정교한 소형 마우저 권총[2)]을 만지작거리며 계속 주변을 경계하고 있었다.
“그럼 모형을 움직여서 실험을 시작하겠습니다.”
박사는 설명을 한 번 끝내고 모형기관의 핸들을 잡았다.
“즉, 이 핸들을 당기면 이 크랭크에 전달되어 중심 원동 막대에 힘이 걸리는 겁니다…….”
박사가 손으로 핸들을 당기자마자 어떤 소리가 미묘하게 나면서 아주 복잡한 기관이 조용히 움직이기 시작했다. 보고 있던 야마가와 소장, 요코타 대령은 놀란 나머지 얼떨결에 소리쳤다.
“굉장하군!”
“국보급 발명이야!”
그때, 류스케는 모형기관의 울림소리가 아닌 어떤 기계가 회전하는 듯한 나지막한 소리를 들었다. 뭔지 모르겠지만 멀리서 나는 소리가 아니라 바로 근처에서 나는 소리임은 확실했다. ‘리리리리.’ 하는 희미한 소리였다. 그런가 싶었는데 류스케는 무언가 발견했는

---

2)Mauser: 독일에서 개발된 자동권총

지 갑자기 안색이 확 바뀌더니 소리쳤다.
"아빠! 실험중지!! 후미코, 전등 꺼!!"
"왜 그래 류스케, 무슨 일이야?"
"설계도랑 모형 챙겨요. 후미코 빨리 전등 꺼. 빨리!!"
후미코는 시키는 대로 스위치를 눌렀다. 실험실이 깜깜해진 순간, "어머!! 오빠!!" 하고 외치는 후미코의 비명이 깜짝 놀랄 만큼 크게 들렸다.

펀치 소타

후미코의 비명을 들은 류스케가 소리가 난 곳으로 손전등을 비추자 실험실 벽 일부가 밖으로 열려있었고, 검은 옷을 입은 남자가 후미코를 옆구리에 끼고 밖으로 나가려고 했다.
"기다려!!"
이미 늦었다!! 벽은 원래대로 닫히고, 밀어도 당겨도 꿈쩍도 하지 않았다. 그러자 한 손에 권총을 든 류스케는 문 입구로 돌진했다. 그러나 문 입구에도 셔터로 단단히 잠겨져 있어서 밖으로 나가기까지 족히 2분은 걸렸다. 겨우 넓은 정원으로 나와 보니 한 남자가 어둠 속을 달리고 있었다.
"멈춰라, 멈춰. 바로 쏜다!!"
큰소리로 외쳤지만 멈출 것 같지 않자 류스케는 남자를 향해 두 발을 쐈다. '탕탕!' 하고 빨간불이 총구에서 나가자마자 수상한 남자는 "앗!!" 하고 소리치더니 공중제비를 돌고 쓰러졌다.
달려가서 보니 다부진 골격의 젊은이가 정강이를 누르고 끙끙 신음하고 있었다. 물론 찰과상이었다.

"움직이지 마. 움직이면 쏜다!!"
하루타는 권총을 겨누면서 소리쳤다.
"일어나, 걸어!"
그리고 엉덩이를 있는 힘껏 세게 걷어찼다.
류스케가 젊은이를 앞세워서 실험실에 돌아오자 설계도와 모형을 챙겼던 박사와 대령은 걱정하며 물었다.
"후미코는 찾았어?"
"아니요, 못 찾았어요. 그런데 지금은 후미코 찾는 것보다 먼저 해야 할 일이 있어요…… 그런데 야마가와 소장님은 어디 가셨어요? 안 보이네요."
"야마가와 씨도 후미코도 같이 납치된 것 같구나."
류스케는 이를 갈며 분개했다. 그리고 젊은이의 얼굴을 노려보며 화를 내고 호통쳤다.
"이 매국노!!"
그러자 젊은이는 안색이 확 바뀌더니 말했다.
"내가 좀 껄렁해 보일지는 몰라도 날 매국노라 부르다니. 나는 펀치 소타로 불리는 남자야. 자, 내가 왜 매국노인지 이유를 말해!"
"좋아, 알려줄 건데 네가 이 실험실 앞에 숨어 있었던 이유를 말해……."
"이유는 간단하지. 이마에 반점이 있는 외국인 목사가 부탁했거든. 이 건물에서 도박하는 사람이 있다고 했어. 자기가 경찰에 밀고할 테니 여기서 망을 봐달라면서 5엔짜리[3] 지폐를 줬어. 그래서 서 있었던 것뿐이야."

3)소설을 발표한 1930년의 5엔은 2024년 현재 가치로 약 2만 엔에 해당

"그놈이 외국의 군사 스파이야. 그리고 하루타식 C.C.D 잠수함의 비밀 도면을 훔치려고 널 이용했던 거야."

"진짜야?"

펀치 소타는 발을 동동 구르며 분개했다.

"젠장, 잘도 속였군. 이제 어떻게 하지……."

"아빠, 이 녀석을 묶어 두세요. 저는 조사해 볼 중대한 다른 사안이 있어서요."

박사와 요코타 대령이 야단법석인 펀치 소타를 묶는 사이 류스케는 쥐처럼 재빠르게 실험실 안을 둘러보며 조사했다.

"앗!!" 하고 소리치는 류스케의 목소리에 놀라 박사와 대령이 달려왔다. 북쪽 벽 제일 위를 손으로 더듬던 류스케가 입을 쩍 벌렸고, 그곳에서 검은색 상자가 나왔다.

"내 생각이 맞았어!!"

류스케가 소리치고, 검은색 상자를 꺼내더니 중얼거리며 상자를 내던졌다.

"에잇, 텅 비었어!"

"그건 뭐냐?"

박사가 물었다.

"이것은……."

류스케가 말하는 찰나, 별안간 전화벨이 요란하게 울렸다. 박사가 수화기를 들었다. 야마가와 소장 댁에서 걸려 온 전화였다.

"아, 하루타 박사님이시죠? 지금 좀 바로 와주세요. 남편이 서재에 쓰러져 있어요. 그리고 금고 안에 있던 중요서류를 도둑맞았어요!!"

두 명의 야마가와 소장

하루타 박사가 대령과 류스케를 데리고 차로 달려갔을 때, 야마가와 소장은 머리에 붕대를 감고 서재의 긴 의자 위에 누워 있었다. 소장은 세 사람을 맞이하고 쓴웃음을 지으며 다음과 같이 말했다.

소장은 박사의 실험실에 가려고 8시 10분 전에 준비를 마치고, 금고 안에서 실험에 필요한 중요서류를 꺼내고 있었다. 그때, 느닷없이 뒤통수를 세게 맞아 기절하고 말았다. 그 후 비서가 불러 깨웠을 때는 이미 중요한 서류도, 수상한 사람의 모습도 그곳에는 없었다.

"그러면!"

옆에 있던 박사가 말했다.

"소장님은 오늘 밤 제 연구실에 못 오셨던 거네요."

"못 갔지요."

"그럼, 아까 야마가와 소장…… 아니 야마가와 소장으로 위장했던 남자는 누구지?"

"뭐라고요!! 저로 위장했던 남자라니요?"

소장이 묻자, 박사는 오늘 밤에 일어났던 사건의 자초지종을 들려주었다. 소장은 듣자마자 펄쩍 뛰었다.

"아니, 그 사람이 분명 어딘가의 군사 스파이면, 그러면 발명품은 무사한가요?!"

"네, 설계도와 모형은 안전……."

"안전하지 않았습니다, 소장님."

류스케가 박사의 말을 자르면서 앞으로 나섰다.

"설계도와 모형은 분명 원래 상태로 있지만, 전부 완전히 뺏기고 말았습니다."
"뭐라고, 그게 무슨 말인가?"
소장도, 박사도, 요코타 대령마저 생각지도 못한 류스케의 말을 듣고 당황하고 말았다.
"이유는 나중에 말씀드릴 수 있어요. 소장님, 이 서재에 어떤 증거가 될만한 것이 떨어져 있지는 않았습니까?"
"아니 없었……."
소장은 잠시 생각하더니 곧 떠올랐는지 종이쪽지 한 장을 내밀었다.
"아, 맞아. 이런 게 있었는데 도움이 될까."
쪽지를 받아든 류스케는 한눈에 보자마자 놀라서 "앗." 하고 소리쳤다. 그 종이는 낮에 친구들에게 받은 암호문과 같은 종이에 같은 글씨체의 펜으로 이렇게 적혀 있었다.

[ゴクロウ○マ スミタ○ ウエハ コレデ シツレイ オチノ○ル ○ンセン]

"음…… 같은 암호인데."
"뭔지 알아냈니?"
박사가 옆에서 걱정스럽게 들여다보았다. 류스케는 박사를 보지도 않고 주머니 안에서 낮에 받은 암호지를 꺼내 비교하면서 ○부분의 문자를 맞춰보았다. 암호는 2분도 채 걸리지 않고 풀었다. 문장은 다음과 같았다.

[ゴクロウサマ　スミタル　ウエハ　コレデ　シツレイ　オチノビル　ヤンセン][4]

"그래, 얀센 목사야. 펀치 소타를 고용했던 목사. 바로 이놈이야!!"

그렇게 소리쳤으나 이 문장만으로는 뭐가 뭔지 알기 어려웠다.

"이거 어렵네. 어떤 내용이 이 문장 안에 감춰져 있을까?"

똑똑한 류스케지만 머리를 감싸안고 눈살을 찌푸리며 쩔쩔맸다.

"서두르지 않으면 소중한 발명이 군사 스파이의 손에 넘어가 외국으로 반출 돼버리는 거 아닐까?……."

류스케는 한 번 더 암호지 두 장을 비교해보더니 곧 화색을 띠며 소장 앞으로 달려왔다. 그리고 떨리는 목소리로 물었다.

"정확히 열흘 전에 분명 사루비야호라는 외국선이 입항했을 텐데요, 어느 국적의 배인지 아세요?"

"아아, 요코하마에 있어. 분명 미국 유람선이라고 생각했는데."

소장이 대답했다.

"그 배입니다!!"

류스케는 소리치자마자 전화기로 달려갔다.

---

4)'수고했어. 해결된 이상 여기서 실례. 오치노빌 얀센' 이란 뜻

질주하는 자동차

"네, 사루비야 호. 아아 그 배는요. 오늘 저녁에 출항했습니다!"

요코하마의 항만운영과에 전화를 걸었던 류스케는 무심코 "늦었어!!" 하고 외쳤다. 혼자 센코하나비[5]처럼 활약하는 류스케를 둘러싸고 야마가와 소장을 비롯해 박사와 대령은 멍하니 팔짱을 끼고 있을 뿐이었다. 류스케가 고함쳤다.

"자, 여러분 성공과 실패의 갈림길입니다. 정신 똑바로 차리세요, 소장님!! 소장님은 바로 요코스카[6]에 전화해서 구축함으로 사루비야호를 감시하라고 하세요. 도주할 것 같으면 발포해도 상관없어요. 그리고 아빠와 대령님은 저랑 같이 가주세요. 추적해야 해요!!"

그리고 달아나는 토끼처럼 서재에서 달려나갔다. 소장의 자가용에 올라탔을 때 류스케는 운전 기사에게 명령했다.

"우라가[7]로, 전속력으로. 엔진이 다 타버릴 때까지 달려!!"

차가 현관을 미끄러지듯 돌아나갈 때 정원수 그늘에서 괴한이 한 명 달려 나와, 자동차로 풀쩍 뛰어오른 모습은 아무도 알아차리지 못했다.

"류스케야, 대체 지금 무슨 일이 일어난 건지 말해보렴. 우라가까지 가는 데는 시간이 충분히 있겠지."

자동차가 도카이도[8]로 나오자 하루타 박사가 아들을 돌아보며 말했다.

---

5)線香花火: 종이에 화약을 비벼 넣어 가늘고 길게 만든 불꽃놀이. 불을 붙이면 작은 불꽃이 사방으로 튀기며 촛불처럼 탄다
6)横須賀: 가나가와현 남동부의 미우라 반도에 있는 시
7)浦賀: 요코스카시의 동부지역
8)東海道: 예부터 바다를 따라 도쿄에서 교토까지 이어진 길

“네, 그럼 요약해서 말해볼게요.”

류스케는 이야기하기 시작했다. 류스케는 친구들이 건네준 암호문의 ○부분에 글자만 맞춰보고, 박사의 실험을 돕기 위해 실험실로 갔다. 그리고 실험이 시작되었을 때 어딘가에서 ‘리리리리.’ 하는 희미한 소리를 들었다. 처음에는 그게 무슨 소리인지 몰랐는데 아무래도 그 소리는 영상을 촬영할 때 나는 카메라의 크랭크 소리와 비슷하게 들렸다. 그러자 ‘촬영은 저녁 8시 30분’이라고 적혀 있던 그 암호문이 번뜩 떠올랐다. 시간도 실험 시간이랑 꼭 맞았다. 그래서 류스케는 들리는 소리가 외국 군사 스파이가 아빠의 실험실 어딘가에 정교한 카메라를 설치해놓고 실험 모습을 몰래 촬영 중임을 확신했다. 그래서 전등을 끄고 촬영을 못 하게 했더니, 그걸 알아차리고 야마가와 소장으로 위장했던 군사 스파이는 촬영한 필름과 후미코를 납치해서 재빨리 달아난 것이었다.

“그래서 어떻게 된 건지 알았구나. 그럼 실험실 벽에서 꺼낸 그 검은 상자는 촬영기였던 거네. 그런데 그 놈이 사루비야호에 탄 건 어떻게 알았지?”

박사가 물었다.

“이걸 보세요.”

류스케는 암호문 두 장을 보여주었다.

“이 암호문 두 장에서 빨간색 잉크로 쓴 것은 제가 ○로 비어있는 곳에 쓴 글자예요. 이 빨간색 글자만 모아봤더니 ‘사루비야’가 되었어요.”

“역시, 머리가 좋군요!”

대령이 무릎을 치며 감탄했다.

“저는 정확히 열흘 전, 신문에서 이런 이름의 외국 배가 입항했다는 기사를 본 것 같아 여쭤봤어요. 그랬더니 실제로 입항했고, 오늘 저녁에는 몰래 출항한 상황까지 있어서, 분명히 수상하다고 의심했습니다."

"훌륭하네, 류스케군. 대단한 추리야!!"

요코타 기관 대령은 류스케의 어깨를 두드리며 칭찬했다.

우라가에는 야마가와 소장의 명령으로 고속 모터보트가 세 사람이 도착하기를 기다리고 있었다.

"사루비야호는 간논곶[9]근해에 정박 중입니다. 구축함이 사루비야호를 감시하고 있습니다."

이렇게 보고를 받은 류스케는 싱긋이 웃으면서 바로 앞의 보트로 옮겨 탔다. 보트는 어두운 바다 위로 하얀 파도를 일으키면서 먼바다를 향해 나아가기 시작했다.

자동차 뒤에 올라탔던 괴한은 어떻게 됐을까. 그는 방금 사라진 류스케 일행이 탄 보트를 쳐다볼 사이도 없이 해안가에 묶여 있던 소형 모터보트에 뛰어올라 엄청난 속력으로 먼바다로 나아갔다.

수상한 배 위에서 난투

어두운 바다 위에 악마처럼 잠든 증기선 사루비야호의 뱃전에 모터보트가 살그머니 붙자마자, 류스케를 앞세우고 박사, 대령, 총을 장착한 해병대원 열 명의 한 부대가 일렬로 미끄러지듯 갑판으로 이동했다.

순간, "Who is There!" 하고 소리치는 선원의 목소리가 들렸지만, 대범하게 나온 해병에게 맞아 찍소리도 못하고 그 자리에서 쓰러

9)觀音崎: 요코스카시에 속하는 미우라 반도 동쪽 끝에 있는 곶

졌다.
"자 빨리 선실로"
류스케가 소리쳤다.
"이마에 반점이 있는 남자를 놓치지 마세요!"
류스케가 권총을 쥐고 제일 먼저 선실로 뛰어 들어갔다. '아니, 뭐람!!' 그곳에는 이미 일본인 청년 한 사람이 여러 명의 외국 선원을 상대로 한창 몸싸움을 벌이는 중이었다.
"적이야? 아군이야?!"
류스케가 물었다.
"펀치 소타다!!"
젊은이가 소리쳤다.
"여긴 내가 맡을게. 빨리 저쪽으로 가서 중요한 걸 되찾아 와!"
예상대로 그 남자는 실험실에 결박되어 있으리라 생각했던 펀치 소타였다. 소타는 자신도 모르게 범한 매국노의 죄를 씻기 위해 목숨을 걸고 자동차 뒤에 달라붙어 이곳으로 왔다. 소타의 장기인 펀치가 날아들 때마다 선원들은 픽픽 쓰러졌다.
"좋아, 부탁할게. 소타! 자, 가자!!"
부대는 다시 선실 깊숙이 돌진했다. 수사는 30분쯤 이어졌다. 하지만 같이 사라진 후미코의 모습도 이마에 반점이 있는 남자도 보이지 않았다.
"분하다. 여기까지 쫓아왔는데 도망간 건가."
류스케가 이를 갈면서 별생각 없이 선실 천장을 보고 있으니 틈에서 어스름한 빛이 새어 나와 깜빡이고 있었다.
"아니!!"
좀 더 주의해서 보았더니 그 빛은 "· · —— · · —— ·" 하는,

류스케가 고안한 신호로 '위험해 도와줘.'라는 의미였다. 말할 필요도 없는 후미코의 신호였다.

"갇혔네. 이 천장에 숨어 있어!!"

"저기다!!"

용감한 해병들이 제각기 손도끼를 휘둘러서 금세 아이가 통과할 만한 구멍이 생겼다. 기다릴 수 없었던 류스케는 그 구멍을 통해 천장으로 쑥 들어갔다. 그러자 어둠 속에서 "Hands up!" 이란 소리가 들리고, 하루타가 "이런 젠장" 하고 몸을 던지자마자 소리가 나는 쪽으로 날아가는 돌멩이처럼 달려들었다.

"Goddamn!!" 하고 소리치면서 허를 찔려 쓰러지는 녀석. 바로 녀석에게 덤벼들었지만 어쨌든 상대는 덩치 큰 코쟁이였다. 양손으로 류스케의 목을 잡고 순식간에 '탁.' 하고 바닥으로 내동댕이쳤…… 나?! 아니, 아니다. 그때 뒤늦게 달려와 기어들어 온 펀치 소타가 뒤에서 코쟁이 목에 팔을 휘감아 조르며 눌렀다.

"Oh, Ooo Wait a minute!!" 하는 힘없는 목소리가 흘러나왔지만 강하게 조르는 소타의 힘에 맥없이 그 자리에서 기절해버렸다.

"후미짱, 후미짱!!"

류스케가 소리쳤다. 어둠 속에서 더는 기다리기 힘들었는지 박차고 나온 후미코가 오빠 류스케를 끌어안고 "오빠, 오빠!!" 하며 그저 눈물만 흘릴 뿐이었다.

"도련님!!"

옆에서 펀치 소타가 기쁘게 외쳤다.

"얀센 목사는 이놈입니다. 이 가방 안에 죄다 들어있겠지요. 젠장, 이걸로 펀치 소타의 체면도 섰습니다."

그리고 얀센의 엉덩이를 있는 힘껏 걷어찼다. 얼마 전에 자신이 류스케에게 당했던 것처럼.

하루타 박사의 발명을 촬영한 필름도, 야마가와 소장의 중요서류도, 소중한 여동생도 하루타 류스케의 공로로 무사히 돌아왔다.

그 후로 펀치 소타는 불량한 생활을 청산하고 류스케의 충실한 조수로 일하게 되었다. 그리고 항상 친구들에게 이렇게 말했다.

“어이, 우리 두목님은 류스케 씨이고, 나는 펀치 소타야. 화살이든 총이든 들고 와서 덤벼봐!!”

제2화 검은 넥타이 조직의 마수

검은색 봉투의 도전장

8월 오후의 태양이 부립 중학교의 운동장 위로 내리쬐었다. 운동장에서는 3학년 팀이 한창 맹연습 중이었다. 스탠드에는 3학년 담임인 구라모치 선생님이 동료인 화학 선생님과 대화 중이었다.

"저 포수는 어깨도 좋고, 아주 깔끔한 플레이를 하는데 학생 이름이 뭐예요?"

"저기요? 저 학생은 말이죠. 지난달이었나, C.C.D 잠수함 사건을 해결한 그 하루타 류스케예요."

"아, 그 소년 탐정이군요."

"2학년 팀의 주장을 맡고 있죠. 정말 열심히 해요. 가을에는 전국 중학교 야구 대회에 나가기 때문에 이렇게 더운 날씨에도 매일 맹연습 중이죠. 저렇게 하고는 집에 가면 아버지의 화학 실험을 도와준다고 하더군요……."

두 선생님이 대화를 나누고 있을 때, 교복에 야구모자를 쓴 혼혈 소년이 스탠드 위로 올라왔다.

"하루타 류스케를 만나고 싶은데요."

"무슨 일이니?"
구라모치 선생님이 돌아보며 물었다.
"편지를 부탁받아서 왔습니다."
혼혈 소년은 검은색 봉투에 든 편지를 보여주었다.
"그럼, 조금만 기다릴래? 지금은 연습 중이니까. 곧 쉬는 시간이야."
"그러면 선생님이 전해주세요. 저는 좀 바빠서요."
소년은 검은색 봉투에 든 편지를 구라모치 선생님에게 건네고 얼른 사라졌다. 잠시 뒤 연습을 끝내고 온몸이 땀으로 젖은 류스케가 친구들과 벤치로 돌아왔다. 구라모치 선생님은 스텐드를 내려가서 말했다.
"이야 다들 고생했어…… 하루타 군, 방금 너한테 이 편지를 전하러 온 사람이 있었어."
"그래요? 감사합니다."
류스케가 편지를 받아보니 검은색 봉투는 왠지 몹시 불길한 느낌이 들었다. 봉투를 열자 흰색 종이에 주황색 잉크로 이렇게 적혀 있었다.

<소년 명탐정 하루타 류스케 귀하. 우리는 너에게 경고한다. 우리는 오는 8월 18일 새벽 2시에 너희 삼촌 와카바야시 자작 집에서 소장 중인 황색 다이아몬드 목걸이를 가져가겠다. 네가 우릴 막겠다면 우리는 목걸이를 걸고 일대일로 승부를 겨뤄야겠지.

검은 넥타이 조직 두목>

"뭐야, 어처구니없네."
류스케는 그렇게 말하고, 수상한 편지를 아무렇게나 주머니에 찔러넣었다. 류스케는 친구들에게 인사한 뒤 성큼성큼 걸어서 운동장을 떠났다.

앗! 주황색 협박장

류스케가 집으로 돌아오자 와카바야시 삼촌이 꼭 와달라는 전화를 걸었다고 했다. 류스케는 혹시나 하는 마음에 자동차를 타고 갔다.
와카바야시 삼촌은 서재에서 류스케가 오기를 기다리고 있었다. 류스케가 도착해서 큰 책장을 등지고 의자에 깊숙이 앉자, 말없이 검은색 봉투에 든 편지 한 통을 건넸다. 류스케는 순간 섬뜩했지만 받아들고 안을 확인했다. 봉투 안은 류스케가 혼혈 소년한테 받은 도전장과 똑같은 주황색 잉크로 이렇게 적혀 있었다.

<경고 - 우리는 귀하가 소장 중인 황색 다이아몬드 목걸이를 원한다. 일시는 8월 18일 새벽 2시. 그리고 이 경고가 거짓이 아님을 오는 15일 새벽 2시에 알려주겠다. 귀하의 서재에 잠입해 테이블 위에 주황색 글자를 써두겠다.

검은 넥타이 조직 두목>

"이거 똑같은 거네!"
류스케는 교복 주머니에서 좀 전의 도전장을 꺼내 들고 삼촌에게 보여주었다. 자작은 도전장을 보고 부들부들 떨었다.
"그럼, 삼촌은 어떻게 하실 거예요?"
"만에 하나 그런 일이 일어나면 안 되니까, 고문 변호사에게 부탁해 사설탐정을 한 명 고용했어. 4시에 오기로 했으니 곧 올 거다. 어쨌든 탐정 의견도 들어보고 어떻게 할지 생각해 보자꾸나."
류스케는 의자에서 벌떡 일어섰다.
"그런데 왜, 이 녀석들은 나한테 싸움을 거는 거지? 일대일로 싸우자니."
류스케가 혼잣말을 내뱉자 자작이 옆에서 말해주었다.
"그 이유는 뻔하지. 내 조카가 류스케라는 거. 그리고 류스케가 사루비야호 사건에서 큰 공적을 세운 걸 아니까 그러는 거 아니겠어. 그래서 너를 어리다고 얕보고 골탕 먹이려는 속셈 같구나."
"좋아!"
류스케는 잠시 생각한 뒤 마음먹었다는 듯이 외쳤다.
"좋아, 해 보자고. 검은 넥타이 조직이 이기는지, 소년 하루타 류스케가 이기는지. 일대일로."
그렇게 말한 순간, 수상한 낌새를 느껴 돌아보았더니 정원이 보이는 창문 밖에서 여태껏 서재 모습을 들여다봤는지 류스케 또래의 혼혈 소년이 잽싸게 몸을 날려 달려가는 중이었다.

검은색 중절모자를 쓴 사립탐정

시계가 4시를 알리자 서생[10]이 명함 한 장을 들고 왔다. 그 사람은 고문 변호사의 소개장을 들고 온 사립탐정 가쓰라가와 한주로였다. 서생의 안내를 받으며 가쓰라가와 탐정이 들어왔다. 키가 큰 남자로, 흰색 리넨 여름 정장에 검은색 중절모를 쓰고, 큼지막한 선글라스를 끼고 있었다. 피부는 햇빛에 그을어서 까무잡잡했고, 머리는 길었다. 조금 으스대는 목소리로 아주 천천히 말했다.

"삼촌, 그럼 저는 내일 다시 올게요."

류스케는 뭔가 생각났는지 그렇게 말하자마자 부리나케 서재를 뛰쳐나갔다.

"바빠지겠는걸!"

류스케는 복도로 나오자마자 주머니에서 명함을 꺼냈다. 그 명함은 방금 온 가쓰가라와 탐정의 명함이었다.

"아니, 아니. 이걸 들고 나와버리다니."

류스케는 명함을 보며 쓴웃음을 짓고 현관으로 급히 나갔다.

다음 날 아침, 류스케는 밥을 먹고 나서 자동차를 타고 자작 집으로 갔다. 자작도 마침 식사를 끝낸 참이었는데 류스케를 보자 서둘러 서재로 부른 뒤, 테이블 위를 가리켰다.

"이거 봐라, 류스케야. 경고했던 대로야!"

테이블 위에는 주황색 분필로 커다랗게 다음과 같이 적혀 있었다.

'검은 넥타이 조직 다녀감 - 15일 새벽 2시'

---

10)書生: 남의 집에서 일해주며 공부하는 사람

"탐정은 뭐 했어요?"
류스케가 물었다.
"일단 들어보렴. 나랑 탐정은 자정에 이 서재로 들어와 앉아 있었지. 그리고 창문에도 문에도 자물쇠를 단단히 채우고, 지켜보고 있었어. 1시에 우리 둘은 홍차를 마셨어. 그리고 30분쯤 지났을까. 우리는 언제부터였는지 어슴푸레 잠이 들었나 봐. 두 시를 알리는 시계 소리에 정신이 번쩍 들어보니 탐정이 자고 있더라. 흔들어 깨웠는데도 깊이 잠들었는지 빨리 일어나질 않았어. 겨우 깨워서 탁자로 가보니 주황색 분필로 이렇게 적혀져 있었어. 곧바로 살펴봤는데 창문도 문도 제대로 닫혀있었고, 자물쇠도 걸려있었어. 가쓰라가와 탐정은 이런 일은 처음이라며 엄청 화를 냈어."
류스케는 다 들은 뒤, 테이블에 적힌 주황색 글자를 다시 주의 깊게 살펴보았다.
"흠, 지지리도 못 쓴 글씨야. 어쩌면 왼손으로 쓴 건지도 몰라."
류스케는 다시 서재 안을 한참 자세히 둘러본 후, 잠깐 나갔다 오겠다며 자작의 집을 뛰쳐나갔다.

또 기괴한 협박장

"그래, 탐정을 만나서 의견을 들어보자!"
류스케는 밖으로 나와 그렇게 중얼거리며 어제 주머니에 넣어뒀던 명함을 꺼냈다. 사무실은 고우지마치구의 우치사이와이쵸[11]에 있는 도쿄빌딩 4층에 있었다. 류스케는 자동차에 올라 우치사이와이쵸로 가달라고 했다.

---

11)현재 도쿄의 지요다구(千代田区)에 해당하는 지역

도쿄빌딩 4층에 있는 가쓰라가와 탐정 사무실에 갔더니 접수처에는 열세 살쯤으로 보이는 잔심부름하는 소녀가, 10시 전에는 아무도 나오지 않는다고 대답했다. 그래서 류스케는 기다리기로 했다.
“이 사무실은 연 지 얼마나 됐어?”
류스케는 차를 내온 소녀에게 물었다.
“모르는데요, 저는 일주일 전에 왔거든요.”
“아, 그렇구나. 탐정은 몇 명 정도 있어?”
“가쓰라가와 선생님 외에 세 분 더 계시고, 어린 조수 한 명이 있을 뿐이에요.”
“고마워!”
소녀는 접수처로 돌아갔다. 류스케는 응접실 안에서 십 분쯤 더 기다렸지만, 하염없이 기다릴 수 없어서 일어섰다. 그리고 편지를 남겨놓고 사무실을 나왔다.

‘어제 사건에 관해 의견을 여쭙고 싶어 찾아왔는데, 안 계셔서 돌아갑니다.’

자동차에 탄 류스케는 운전기사에게 명령했다.
“빨리! 경시청[12]으로 가 줘!!”
경시청에서 한 시간 정도 무언가 조사한 류스케는 다시 자작의 저택에 나타났다. 자작은 허둥대며 검은색 봉투를 내밀었다.
“아아, 때맞춰 와줬구나. 류스케 이거 봐. 또 주황색 잉크로 협박장을 보냈어.”
봉투를 열어보니 안에는 주황색 잉크로 쓴 문장이 적혀 있었다.

---

12)도쿄도를 관할 구역으로 하는 경찰 기관

<두 번째 경고 - 우리는 다시 오는 16일 새벽 2시에 귀하의 서재에 나타나겠다. 그리고 서쪽 벽에 주황색으로 증거를 남기겠다. 만약 이 일을 경찰에 알릴 때는 가족 모두 참살할 것이다.

검은 넥타이 조직 두목>

"흠, 그렇게 나오시겠다, 이거지? 빌어먹을."
류스케는 중얼거리며 협박장을 자작에게 돌려주고 또 아무 말 없이 냉큼 서재를 뛰쳐나갔다.

어둠 속을 날뛰는 수상한 그림자

펀치 소타가 큼지막한 주먹을 휘두르며 발소리를 쿵쿵 내면서 류스케의 집에 찾아왔을 때는 그날 저녁이었다.
"도련님, 편지 받았어요. 무슨 일 있으신 기죠?"
"신경 좀 써 줘, 소타. 다음에도 도련님이라고 하면 그걸로 끝이야. 그러면 절교할 테니까 그렇게 알고 있어!"
그 말을 들은 펀치 소타는 머리를 긁적이며 겸연쩍어했다.
"오늘 밤, 아무래도 네 힘을 빌리고 싶은 일이 생겼는데 어때?"
"네, 좋지요. 제가 공부는 몰라도 도깨비 한두 마리 때려죽이는 거라면 언제든지 맡겨 주십쇼."
소타가 커다란 주먹을 휘둘러 보이자, 류스케는 웃으며 말했다.
"좋아!! 일단 저녁 같이 먹으면서 이야기하자. 나가는 건 한밤중이니까."

그리고 류스케는 소타랑 저녁을 같이 먹으며 무언가 소곤소곤 대화에 열중했다.
두 사람이 집을 나선 때는 한밤중인 자정이었다. 걸어서 와카바야시 자작의 저택 뒤로 돌아, 반대편 저택의 검은색 나무 담장 그늘에 둘 다 몸을 착 숨겼다.
“자, 소타. 이 향수를 얼굴이랑 발에 발라둬. 모기에게 물려서 어떤 소리라도 내면 도깨비를 놓치고 말 테니까.”
소타는 건네받은 향수를 바르고, 땅바닥에 거의 쭈그리고 앉아서 기다렸다. 10분, 20분.
“1시야.”
류스케가 손목시계를 보고 중얼거렸다. 그리고 다시 10분, 20분. 그리고… 갑자기 류스케가 목소리를 낮추고 속삭였다.
“저기 왔어!”
류스케가 손가락으로 가리키는 쪽을 보니 자작의 저택에서 담을 뛰어넘어 나온 수상한 사람 그림자가 보였다! 그 그림자는 잠시 주변을 둘러보더니 곧 길가로 훌쩍 뛰어내렸다.
“저기 가서 잡아!”
류스케가 소리쳤다.
달아나는 토끼처럼 뛰기 시작한 소타가 막 달아나는 괴한의 뒤에서 목덜미를 꽉 잡았다. “이놈!” 하고 어깨에 걸어 던지려는 찰나, 어디선가 나타난 괴한 둘이 “얏!” 하고 동시에 뒤에서 굵은 지팡이 같은 것으로 소타의 머리를 때렸다.
“으윽” 하고 신음하며 쓰러진 소타.
“아니!! 젠장 당했네!!” 하고 소리친 순간, 나는 새처럼 뛰어나온 류스케. 아닌가?! 그런데 누가 언제 깔아놨는지 발치에 펼쳐진 덫에 발이 걸려서 '쿵.' 하고 쓰러졌다. 그와 동시에 '쉬익.' 하는 소리가 나더니 물 같은 액체가 얼굴에 뿌려졌다.

"아하하하하." 하고 웃던 괴한 셋은 어둠 속으로 달려가 사라졌다. 그중 한 사람, 자작 저택에서 몰래 빠져나온 키 작은 괴한이 바로 그 혼혈 소년임을 류스케는 놓치지 않고 보았다.

"빌어먹을, 꼴좋게 당해버렸네."

소타가 일어나 다가와서 류스케의 발에 걸린 철사를 빼주며 말했다.

"저기, 도러-님 아니고 하루타 씨, 저놈들이 저한테 뭔가 물 같은 걸 부었어요."

"그거 물 아니야. 에테르라는 마취제야. 그 정도로 흡입하면 한 이틀은 계속 자게 돼."

"네에?! 이틀이나 자게 된다고요? 노, 농담이죠?! 저는 그런 거 질색인데."

"걱정하지마. 아무래도 이렇게 될까 봐 미리 확실하게 예방해뒀지. 좀 전에 얼굴에 바른 건 모기를 쫓는 향수가 아니야. 그건 마취제의 힘을 떨어트리는 신약이야. 그걸 발라두면 어떤 마취제라도 겁낼 필요 없어."

"우와, 훌륭한 도련님-이 아니고 하루타 씨는…… 역시 저의 두목님이세요."

소타는 뛰어올라 손뼉을 쳤다. 그러나 류스케는 날카로운 눈빛으로 조금 전의 어둠 속을 노려보고 있었다.

"어쨌든, 이걸로 놈들의 수법을 알았어. 다음은 실을 조이기만 하면 돼!"

오늘밤은 쉽니다!

다음 날 17일 아침, 류스케가 일어났을 때는 아직 어두울 때였다. 류스케는 일어나자 바로 여동생 후미코를 자기 방으로 데려와 한 시간 정도 무언가 이야기했다. 곧 후미코는 몇 번이나 고개를 끄덕이더니 굳은 결심을 한 듯한 모습을 보이곤 혼자서 어디로 간다는 말도 없이 몰래 집을 나갔다.

"자, 서둘러야 해!"

류스케는 후미코를 보내고, 그렇게 말하며 아침도 먹지 않고 집을 나섰다. 물론 아버지의 차를 빌려서 말이다.

삼십 분 뒤에 류스케가 돌아왔을 때는 펀치 소타가 와서 기다리고 있었다.

"늦었네, 소타. 나는 벌써 한 건 하고 왔는데."

소타는 머리를 긁적이며 일어났다.

"이제 사건이 슬슬 재미있어지고 있어. 그런데 이번에는 너한테 힘든 부탁을 해야 하는데, 실은 말이야……"

그러면서 다시 속닥속닥 비밀스러운 대화가 시작되었다.

"좋다마다요! 해보죠!"

소타는 이야기를 다 듣고, 주먹으로 가슴을 치며 소리쳤다.

"제기랄, 엊저녁 복수다. 실컷 혼내주겠습니다요. 그러면 놈들이 깜짝 놀라겠는데요, 우후후."

"웃을 일이 아니야. 까딱하다간 반대로 네가 놀랄 수도 있어."

"어쨌든, 이번에야말로."

그리고 소타는 씩씩하게 나갔다.

류스케는 그 뒤, 천천히 아침을 먹고 걸어서 와카바야시 자작 댁으로 갔다.

자작은 지난밤의 피로로 아직 자고 있었다. 그러나 류스케가 왔다는 말을 듣고 잠이 덜 깬 얼굴을 비비며 일어나 나왔다. 그 모습을 보자마자 류스케가 물었다.

"잘 주무셨어요, 삼촌. 이마가 아프진 않으세요? 아프다면 나중에 바로 낫는 좋은 약을 드릴게요. 그런데 어젯밤에 또 검은 넥타이 조직이 찾아왔죠, 그렇죠?!"

"어떻게 네가 그걸 알고 있냐."

자작은 이마를 문지르면서 엽궐련[13]을 들어 올렸다. 류스케는 이어 말했다.

"삼촌이랑 가쓰라가와 탐정은 한 시에 차를 드셨겠죠. 그리고 십 분쯤 지나 잠이 와서 꾸벅꾸벅 잠시 졸고요. 두 시를 알리는 시계 소리에 얼른 눈을 떠보니 서쪽 벽에 주황색 글씨가 적혀 있었고. 그랬죠?"

"그대로야, 전부 네가 말한 그대로야."

"자, 이거 약이에요. 좋은 향기가 나는 약이죠. 이 향기를 맡으면 삼촌의 두통은 바로 나을 거예요. 그런데 삼촌, 오늘 밤에도 같은 일이 한 번 더 일어날 거예요. 그러면 내일 제가 본격적으로 나설 겁니다. 내일이야말로 저와 검은 넥타이 조직이 목걸이를 놓고 일대일 대결을 시작할 겁니다."

"오늘 밤은 안 오는 거냐, 류스케."

자작은 불안해했다.

"오늘 밤은 못 가요. 오늘 밤은 쉬어요, 오늘 밤은 쉴 겁니다."

류스케는 이렇게 대답하고 느긋하게 나갔다.

---

13)담뱃잎을 썰지 않고 통째로 돌돌 말아서 만든 담배

집으로 돌아오니 후미코의 편지가 와 있었다. 편지를 열어보았더니 단 한 줄로 다음과 같이 적혀 있었다.

'요코하마시 바닷가길 맥심[14] 창고 8번'

"좋아, 이제 모든 준비가 끝났어."
류스케는 그렇게 중얼거리고 책상에 앉았다.

탐정이 크게 화를 내다!

드디어 8월 18일 밤, 와카바야시 저택의 서재에서 류스케와 자작은 검은 넥타이 조직이 보낸 마지막 협박장을 읽고 있었다.

<마지막 경고 - 우리는 오는 19일 새벽 2시, 너희 집 서재에서 황색 다이아몬드 목걸이를 가져가겠다. 너희는 서재 탁자 위에 목걸이를 놔둬라. 이 명령을 어길 시에는 일가족 모두 참살하겠다.

검은 넥타이 조직 두목>

"일가족 모두 참살, 하겠다고!"
다 읽은 류스케는 차갑게 웃었다.
"삼촌, 이놈들은 이 편지를 자기들한테 보내는 게 맞아요. 왜냐면 놈들은 이제 내일이면 끝날 목숨이거든요."

---

14)Maxim gun: 미국 태생의 영국 발명가 맥심(H. S. Maxim)이 고안한 기관총

"그런 말을 하는 걸 보니 류스케, 너는 확실한 계획이 있구나."
"아무튼, 두고 보세요. 그런데 가쓰라가와 씨가 늦네요. 서투른 탐정님은, 실제로 그렇게 서툰 사람은 본 적이 없어요."
그리고 류스케는 큰소리로 웃었다. 그러자 그때 "에헴." 하고 헛기침을 하면서 당사자인 가쓰라가와 탐정이 나타났다. 류스케가 한 험담을 바로 들은 것이다. 기분이 제법 상한 표정으로 자작에게 짧게 인사하고 말없이 자기 의자에 털썩 앉았다.
"안녕하세요, 가쓰라가와 씨."
류스케는 붙임성있게 말을 걸었다.
"당신은 항상 그렇게 모자를 푹 눌러쓰시나요, 집 안에서도요?"
"탐정은 말이지."
가쓰라가와 탐정은 화를 꾹 참으며 대답했다.
"언제 어디에서 악당에게 얼굴이 알려질지 몰라. 얼굴이 알려지면 탐정을 하기 힘드니까. 항상 이렇게 모자를 깊숙이 눌러쓰고 얼굴을 가리는 거야."
"아, 탐정은 헛수고를 많이 하는 직업이네요."
류스케는 망설이지도 않고 대꾸했다.
"그 모자 쓰는 버릇은 늘 실패하잖아요……."
"무례한 말 하지 마. 그럼, 너는 이번 검은 넥타이 조직 사건을 해결할 수 있어?"
가쓰라가와 탐정은 씩씩거리며 화를 냈다. 류스케는 평온하게 대답했다.
"저요? 아, 저는 내일 오후 두 시까지는 검은 넥타이 조직을 모조리 잡아버릴 건데요."
그 말을 듣더니 가쓰라가와 탐정은 배꼽이 빠질 듯이 "와하하하하.” 하고 웃었다. 그래서 류스케도 따라서 “와하하하.” 하고 웃었다.

마의 새벽 2시

시계가 열두 번 울렸다.

자작과 탐정, 류스케는 서재로 들어갔다. 테이블 위에 목걸이를 두느냐 마느냐로 한동안 실랑이를 벌였다. 탐정은 내놓지 않는 게 좋겠다고 했다. 류스케는 내놓는 게 좋다고 주장했다. 목걸이를 내놓지 않으면 놈들은 정말로 일가족을 모두 참살할지도 모른다.

“아니야, 탐정으로 책임을 지더라도 목걸이를 내놓는 건 반대야.”

가쓰라가와 탐정은 끝까지 우겼다. 그러나 자작이 직접 목걸이를 꺼내와 테이블 위에 두고 말했다.

“이렇게 두면 만일 목걸이는 뺏기더라도 모두의 생명에는 지장이 없을 테니까.”

자작과 탐정은 목걸이를 꺼내둔 테이블을 사이에 두고 마주 앉았다. 류스케는 창가의 긴 의자에 걸터앉아 유리 창문에 몸을 기대고 있었다.

시계가 한 번 울렸다. 가쓰라가와 탐정이 일어나서 홍차 마실 준비를 하자 류스케가 도와주었다. 따뜻하고 향긋한 홍차가 세 사람의 손에 놓였다.

류스케는 자기 의자로 돌아갔다. 그리고 이따금 몰래 품속에서 그 향수를 꺼내 향을 맡았다.

다들 홍차를 홀짝이는 소리를 내고 있을 때, 문득 희미하게 ‘쉬익 쉬익.’ 하는 소리가 들렸다.

1시 20분, 30분. 시간이 지나자 자작이 먼저 잠들었다. 그리고 곧 류스케가 머리를 털썩 늘어뜨리고 말았다.

가쓰라가와 탐정은 위험을 느꼈는지 비틀거리며 일어서서 벽 쪽으로 갔다. 그 순간 전등이 꺼졌다. 암흑 속에서 누군가가 신음했다.

어둠 속에서 시간이 흘러갔다. 10분, 20분. 그리고 시계가 두 번 울렸다.

"앗!!" 하고 소리친 사람은 자작이었다. 시계 소리에 잠이 깬 것이었다. 서재 안이 캄캄해 서둘러 스위치를 누르자 전등이 켜졌다.

둘러봤더니 류스케는 창가 의자에서 깊이 잠들어 있고, 탐정은 벽 근처에 쓰러져 있었다. 자작이 달려가서,

"가쓰라가와 씨, 가쓰라가와 씨." 하고 불러 깨우자 겨우 정신이 돌아온 모습으로 소리쳤다.

"목걸이는…… 목걸이는 어떻게 됐습니까?"

목걸이는? 아아, 물론 있을 리 없다. 테이블 위에는 보라색 벨벳 상자만 놓여 있을 뿐이었다.

"제가 말했잖아요. 이래서 제가 꺼내지 말자고 했던 겁니다."

탐정은 한 번 더 화를 냈다.

두 사람은 그 뒤 류스케를 깨웠지만 좀처럼 일어나질 않았다. 어깨를 잡고 흔들어 깨우자 오 분 정도 지나 겨우 눈을 떴다.

"이건 분명 마취제에 당한 거야!"

탐정이 외쳤다. 류스케는 아직 잠이 덜 깬 목소리였다.

"모…… 목걸이는 무사해요……?"

"네가 쓸데없이 참견해서 흔적도 없이 뺏기고 말았지."

탐정은 분하다는 듯이 계속 호통쳤다.

"이래도 검은 넥타이 조직을 일망타진하겠다고 지껄일 거야? 애송이 녀석."
류스케는 비틀비틀 일어나서 잠꼬대하는 듯한 목소리로 말했다.
"아아 잘 잤다. 삼촌, 괜찮아요. 걱정 안 해도. 내일, 내일 제가 되돌려 놓을게요. 정말로요…… 아아 잠온다."
류스케는 다시 긴 의자에 털썩하고 깊숙이 앉더니 쿨쿨 잠들어버렸다.

뜻밖의!! 탐정이란 새빨간 거짓말

그다음 날. 류스케는 오전 10시에 우치사이와이초에 있는 가쓰라가와 탐정 사무실로 갔다. 접수처에는 잔심부름하는 소녀가 있었는데 지난번에 있던 소녀가 아니었다. 류스케는 소녀의 안내를 받아 걸으면서 목소리를 낮추고 한마디 했다.
"다 준비됐어 ……?"
소녀는 잠시 멈춰서서 "그렇습니다" 하고 대답하더니 바로 덧붙여 말했다.
"선생님 방은 이쪽입니다."
류스케는 노크하고 방 안으로 들어갔다. 들어갈 때 종이쪽지와 검은 봉투에 든 물건을 떨어트렸다. 소녀는 그걸 줍더니 재빠르게 품속에 넣고 접수처로 돌아갔다.
류스케는 방으로 들어갔다. 사무실에는 가쓰라가와 탐정이 있었다. 늘 쓰던 모자를 쓴 채로, 커다란 테이블에 앉아 무언가를 적고 있었다.
"실례하겠습니다. 가쓰라가와 씨."

류스케가 인사했다.

"아아, 들어와요. 잠깐만 기다려주게. 지금 편지를 한 통 쓰고 있어서 말이야."

탐정은 다 쓰고 나서 편지를 봉투에 넣고 호출벨을 눌렀다. 잔심부름하는 소녀가 오자 봉투를 건네더니,

"5분 정도 뒤에 늘 오던 아이가 오면 이 편지를 전해주면 돼."

그렇게 말하고 소녀를 내보냈다.

"이런 기다리게 했네. 그래, 무슨 일이지?"

"아, 네. 아침 일찍부터 죄송한데 급히 부탁하고 싶은 일이 있어서요."

"그래, 부탁하고 싶은 일은 뭔가?"

"황색 다이아몬드 목걸이를 돌려받고 싶어요!"

"뭐, 뭐라고!"

가쓰라가와 탐정은 낯빛이 바뀌며 벌떡 일어섰다.

"그런 연극은 질색이에요. 전 다 알고 있었어요, 탐정님. 당신이 한 짓은 아이들 속임수 같은 거였죠. 얌전히 목걸이를 돌려주시는 게 좋을 텐데."

"그래, 그랬군. 그랬어!"

가쓰라가와는 헐떡거리면서 서서히 자리에서 나왔다. 그리고 천천히 출입문으로 다가가더니 문에 바로 자물쇠를 채웠다. 그리고 다시 슬그머니 원래 자리로 돌아와 선 채로 류스케를 험악하게 노려보았다.

"애송이!! 네가 할 말은 그게 다야?"

탐정은 태도를 확 바꾸었다.

"아직 더 있어!!"

류스케는 조금도 놀라지 않고 히죽히죽 웃으면서 탐정을 바라보더니 느닷없이 탐정의 코끝을 가리키며 소리쳤다.
"모자 벗어!! 얀센 목사. 이마에는 커다란 반점이 있겠지!!"
"앗!!"
탐정은 한 걸음 뒤로 물러서자마자 서랍에서 꺼내든 자동권총을 류스케에게 겨눴다.
"젠장. 애송이, 알아챘군. 뭐 이렇게 됐으니 모조리 다 쏴버릴 거야. 나는 복수하러 왔으니까. 사루비야호 사건에서는 감히 날 단숨에 해치웠지. 난 그게 분해서 탈옥하고, 너한테 도전장을 보냈어. 그것도 모르고 얼떨결에 여기까지 오다니. 불 속으로 날아드는 날벌레랑 같군. 자, 하나님이라도 불러봐. 다섯을 셀 동안 너는 죽겠지. 준비됐나, 하나, 둘, 셋……."
아차, 호랑이굴로 들어온 류스케. 위기일발!

바보!! 펀치 소타다.

그때 류스케는 침착하게 말하기 시작했다.
"얀센, 당신은 나랑 일대일 대결을 하러 왔잖아. 그런데 이 대결은 내가 확실히 이긴 것 같은데!"
"뭐라는 거야?! 애송이가."
"잘 봐, 권총에 총알이 없을걸."
"뭐라고?!"
당황해서 권총을 살펴보던 얀센의 얼굴은 금세 창백해졌다. 그리고 미친 사람처럼 서랍 안의 권총을 다 꺼내 봤지만, 이게 어찌된 일인가. 모든 권총에 총알이 다 빠져있는 게 아닌가.

"그리고, 안타깝겠지만 황색 다이아몬드 목걸이는 이미 받았어!"
류스케의 말에 완전히 깜짝 놀란 얀센은 당황해서 허둥거리며 벽에 걸린 비밀 소형 금고를 열었다. 그 순간!! 류스케가 외쳤다.
"손들어, 움직이지 마!!"
류스케는 오른손에 자동권총 마우저를 쥐고 있었다. 얀센은 놀라서 양손을 들었다.
"물러서! 좀 더, 좀 더. 테이블 앞까지 나와. 여기엔 실탄이 들었거든. 증거를 보여주지, 자!!"
'팡!' 하고 튀는 불꽃. '푸쉬익.' 하는 소리가 나더니 총알이 벽에 박혔다. 그리고 놀랍게도!! 그 벽이 드르륵 돌아가더니 비밀 통로가 나타났다.
"놀랐어? 얀센. 내가 저번에 왔을 때 모조리 다 봐뒀지. 저 통로도 말이야. 그럼 목걸이는 이 금고 안에 있겠네."
류스케는 얀센이 방금 연 비밀금고로 다가가, 안에서 찬란하게 빛나는 문제의 목걸이를 꺼냈다.
"하하, 바로 이거야. 조금 전에 목걸이를 받았다고 말한 건 거짓말이었어. 그러면 너는 놀라서 있는지 없는지 확인할 테고, 그러면 어디에 있는지 바로 알 수 있으니까. 이야 고마워."
그때 얀센은 조금씩 테이블로 다가가 류스케가 눈치채지 못하게 마루판에 설치한 스위치를 밟았다. '딸랑'하는 벨 소리가 근처에서 났다. 그러자 옆방의 문이 열리고 수염이 덥수룩한 악당이 뛰쳐나왔다. 얀센은 손을 올린 채로 고함쳤다.
"저 애송이한테 따끔한 맛을 보여줘!!"
그러자 악당은 "좋아 올 것이 왔구나!!" 하고 말하자마자 재빠르게 얀센에게 뛰어들었다. 얀센은 깜짝 놀라 소리쳤다.

“아니, 너 미쳤어? 저 애송이를 치라고.”
“시끄러. 야, 이 코쟁이야. 이 몸은 펀치 소타 님이시다. 사루비야 호에서 맛본 주먹을 잊었어?”
소타는 ‘얏!’ 하고 허리 돌리기[15]를 걸어서 ‘쿵.’ 하고 내팽개치더니 미친개처럼 달려들었다.
“좋아, 그놈을 부탁할게. 꽁꽁 묶어둬. 경시청에서 바로 올 테니까, 나는 요코하마로 간다!!”
류스케는 얀센에게 열쇠를 빼앗아 문을 열고, 구겨질 정도로 얀센을 마구 누르고 있는 소타를 남겨두고 밖으로 뛰쳐나갔다. 류스케를 태운 자동차는 경시청으로 향했다. 그리고 경관 열 명가량을 태운 자동차 세 대를 거느리고 쏜살같이 요코하마로 갔다.

맥심 창고에서의 난투

요코하마시의 바닷가길, 맥심 8번 창고 안에는 산처럼 쌓인 밀수품들 사이로 우락부락한 외국인 남자 예닐곱 명이 어수선하게 모여 있었다. 모두 검은 옷에 검은 넥타이를 매고 있었다.
바깥에 자동차가 도착한 소리가 났다.
“두목이다. 가 봐.” 하고 한 사람이 속삭였다.
밖에 도착한 건 검은색 대형 자동차였고, 타고 있는 사람은 혼혈 소년 단 한 명뿐이었다. 소년은 훌쩍 뛰어내리더니 창고 안으로 뛰어 들어가며 고함쳤다.
“다들 경찰에 붙잡히겠어!!”

15)유도에서 상대의 몸을 자신의 허리에 끌어당겨 들어 올리듯이 던지는 기술.

"뭐야? 왜 그래, 조지!!"

"또 그 류스케라는 애송이가 주제넘게 끼어들었어. 얀센 두목이 잡혔다고! 도망쳐, 경시청 자동차 세 대가 이십 분 안에 여기로 올 거야!!"

"큰일났다. 도망쳐, 도망쳐!!"

다들 당황해서 허둥지둥하기 시작했다. 소년은 다시 큰소리로 외쳤다.

"밖에 차가 있어. 마침 덮개가 있으니 다행이야. 자 다들 그 차를 타고 가자!!"

"그래, 그 자동차로 도망가자!!"

몹시 당황한 우락부락한 무리가 모자니 권총이니 소란을 피우면서 바깥으로 밀치고 나가려고 했을 때, 창고 입구에 불쑥 나타나서 호통치는 사람이 있었다.

"기다려, 속지 마!!"

다들 벌벌 떨고 있을 때라 모두 깜짝 놀라 멈춰 섰다. 그리고 그 사람을 한눈에 보자마자 놀라 이구동성으로 소리를 질렀다.

"아!! 아니!!"

그도 그럴 것이 보라, 입구에 서 있는 사람은 영락없는 혼혈 소년 조지가 아닌가.

"다들 잘 봐. 저 사람이 류스케라는 애송이야. 얀센 두목을 잡고, 우리까지 한 번에 잡아가려고 찾아온 거야. 다들 그 자동차에 타면 밖에서 철커덩하고 자물쇠를 채워서 바로 경시청으로 보낼 계략인 거야, 조심해!!"

나중에 온 조지는 그렇게 말하면서 먼저 온 조지에게 다가섰다.

"아니야, 틀렸어!! 이 녀석이 류스케라는 애송이야. 내가 먼저 왔으니까 저렇게 엉터리로 말하면서 모두를 헷갈리게 하는 거야. 속지 마!! 꾸물거리다간 진짜 경시청에서 올 거야. 다들 저 녀석 신경 쓰지 말고 빨리 차에 타! 일 분이라도 빨리 도망쳐야지!!"

먼저 온 조지는 다시 필사적으로 모두에게 소리치기 시작했다.

"젠장. 변장해서 감히 우리를 이런 위험에 빠트리다니!!"

뒤에 온 조지가 분하다는 듯이 욕을 퍼부으며 떠들었다.

"그런 너야말로 모두를 속이려고 말하는 거잖아, 이 여우 새끼!!"

먼저 온 조지도 지지 않고 고함치며 되받아쳤다.

"나는 모르겠다!!"

우락부락한 무리의 한 사람이 머리카락을 긁으면서 소리쳤다.

"대체 누가 진짜 조지인 거야? 에잇, 이제 그만해!!"

"좋아!! 다들 안 오면 나 혼자서 도망칠 수밖에!"

먼저 온 조지가 고함쳤다.

"다들 저런 놈과 상대하든지 마음대로 해. 나는 미안하지만, 실례!!"

그리고 뛰어나가려고 했다. 순간 나중에 온 조지가 발길질했다.

"어디 도망가려고."

"뭐야! 덤벼라, 애송이!!"

한쪽이 갑자기 의자를 잡고 던졌다. 다른 한쪽은 몸을 숙여 피하고는 "제길!!" 그러더니 돌팔매를 치듯 둘이 맞붙었다. 양쪽 모두 강했다. 우락부락한 무리는 어느 쪽에도 가세하지 못하고 쳐다볼 뿐이었다.

"도망쳐!! 밖에 있는 자동차로 도망쳐!! 두 시가 되면 경시청에서 온다니까!!"

먼저 온 조지가 필사적으로 외쳤다.

"속지 마! 이놈이 거짓말하는 거야. 자동차에 타면 끝장이야!"
나중에 온 녀석도 상대에게 눌려 넘어지면서 소리쳤다.
"더는 못 참겠다!!"
코쟁이 한 사람이 모자를 바닥에 던지면서 막 소리를 질렀다.
"나는 아무것도 모르겠어, 아무도 못 믿겠어!!"
그 순간, 입구에 한 사람이 나타나 소리쳤다.
"그럼, 알려주마. 손들어!!"
그리고 "앗!!" 하는 순간에 열 명 남짓의 형사와 경찰이 저마다 권총을 겨누면서 우르르 쏟아져 들어왔다.
"손들어!! 움직이면 쏜다!!"
그와 동시에 나중에 온 조지는 쥐처럼 재빠르게 지하실로 뛰어 내려갔다.
"에라이 빌어먹을!! 도망치기냐."
먼저 온 조지도 달아나는 토끼처럼 뒤쫓았지만, 그곳에는 비밀 통로가 있었는지 아쉽게도 결국 놓쳤다.
"다들 수고하셨습니다."
지하실에서 돌아온 조지는 머리에서 변장용 붉은색 가발을 벗고, 얼굴에 발랐던 분을 닦았다. 영락없는 류스케였다.
"어이, 여러분!!"
류스케는 수갑을 찬 검은 넥타이 조직의 악당들 앞에 와서 말했다.
"그러니까 내가 말했잖아요. 두 시가 되면 경시청에서 온다!! 고. 나는 거짓말하는 건 싫어한다니까, 아하하하……."
정말로 소년 탐정이 말한 대로였다. 검은 넥타이 파는 정확히 두 시에 한꺼번에 체포되었다.

아빠와 삼촌인 자작 앞에서 류스케는 이번 사건을 이야기했다.

“저는 싸움을 건 도전장을 받았을 때, 보낸 사람은 저한테 원한이 있는 놈이라고 생각했어요. 원한이 있는 놈이면 얀센일 테니까 경시청에 가서 물었더니 열흘 전쯤에 탈옥했는데 국사범[16]이라 비밀리에 수색 중이라 하더군요. 그래서 가쓰라가와 탐정을 만났더니 검은색 모자를 푹 눌러 쓰고, 선글라스를 끼고 있길래, 이 작자는 변장한 거구나 싶었죠. 그래서 제일 수상한 놈은 이 녀석이라고 결정해버렸어요. 그 뒤로 사무실에 가서 조사해봤더니 더 수상해서 여동생 후미코를 심부름하는 소녀로 위장시켜서 들어가게 했습니다.

서재에 잠입해서 주황색 글자를 남겼다고 들었을 때, 삼촌이랑 탐정이 항상 잠들었던 이유는 분명 마취제 같았어요. 그래서 조사했더니 유리 창문 아래쪽에 정말 작은 구멍이 뚫려 있었죠. 코를 대고 냄새를 맡았더니 희미한 에테르 냄새가 났고요. 틀림없이 정교한 분무기에 에테르를 넣고, 창문 구멍으로 뿜어 넣었겠다 싶었죠. 그리고 놈들이 저택 밖에서 망보다가 서재 안에서 탐정이 홍차를 끓여서 삼촌과 마실 때, 홍차가 아주 뜨거우니까 두 사람이 소리를 내면서 홀짝이는 틈을 타 에테르를 뿜어 넣었다는 걸 알았어요. 그래서 탐정이 외부 일당과 서로 신호를 주고받고, 이 일을 꾸몄음을 알게 된 거죠.

그 뒤의 일은 그다지 어렵지 않았어요. 펀치 소타를 부하로 속여 잠입시키고, 또 심부름하던 후미코에게 일단 얀센의 권총에서 총알

16)國事犯: 국가나 국가 권력을 침해함으로써 성립하는 불법 행위를 저지른 사람.

을 다 빼놓으라고 시켰어요. 그런 다음, 얀센의 편지를 몰래 바꿔치기해서 후미코에게 제가 쓴 가짜 편지를 보내라고 했습니다. 제가 보낸 가짜 편지에는,

'전원 맥심 창고로 모여!!'

라고 적어놓았습니다. 거기가 놈들의 아지트라는 건 후미코가 조사해줘서 알고 있었거든요."

아빠도 와카바야시 자작도 너무 감탄한 나머지 겨우 한숨만 내쉴 뿐이었다. 류스케는 이내 분하다는 듯이 덧붙였다.

"그런데 분한 건 그 혼혈 소년을 놓쳐버린 거예요. 아빠. 그 녀석은 분명 언젠가 또 복수하러 올 거예요……."

류스케는 그렇게 말하며 유니폼이 든 가방을 들고, 가을 야구 대회 연습을 하러 학교 운동장으로 씩씩하게 걸어 나갔다.

제3화 해골섬의 대모험

초대장이 왔다!

하루타 박사 집에서는 아침 식사가 한창이었다.

"류스케도 제법 여러 사건을 해결했는데 어떤 사건이 제일 재미있었니?"

박사는 이렇게 묻고, 웃으며 장남 류스케를 언뜻 보았다. 류스케는 부립 중학교 2학년으로 머리가 상당히 좋은 소년이었다.

"글쎄요, 재미를 떠나서 제가 제일 고심했던 사건은 역시 그 황색 다이아몬드 목걸이 사건이었어요."

류스케는 커피를 홀짝이면서 대답했다.

"그렇구나."

박사는 고개를 끄덕이고 말했다.

"그때는 상대가 류스케한테 복수를 하려고 왔으니까 말이야. 그런데 얀센은 그때 감옥에 갇혔는데 그때 같이 있었던 혼혈 소년은 그 후에 어떻게 됐는지 모르겠구나."

"몰라요. 그런데 이제 곧 나타날걸요. 그 녀석은 얀센의 복수를 하려고 어딘가에서 저를 노리고 있을 게 분명해요."

대화 중에 서생이 들어와서 편지를 건넸다.
“류스케 님께 편지가 왔습니다.”
“누가 보낸 거지?”
류스케가 중얼거리며 편지를 펼쳐보았더니 멋진 금빛 테두리가 들어간 초대장이었다.

<귀하께서 소년의 신분으로 오늘까지 여러 어려운 사건을 성공적으로 해결하신 것을 축하드립니다. 저는 세계의 탐정 업무를 연구하려고 미국에서 왔습니다. 귀하를 위해 축하 만찬을 열어 대접하고자 하오니 오늘 저녁 여섯 시에 일본 호텔로 오시길 바랍니다.

미국 범죄학자
메트라스 박사>

“아 메트라스 박사로구나.”
하루다 박사가 옆에서 말했다.
“그 박사님은 세계적으로 유명한 학자야. 그분에게 초대받은 건 엄청난 영광이란다.”
류스케가 고개를 들고 대답했다.
“그런데 아빠. 내일은 요코스카에서 아빠가 발명하신 C.C.D 잠수함 시험 운전이 있으니까, 저는 오늘 밤에 일찍 자고 싶은데요.”
“그런 말 마라. 만찬에 가더라도 빨리 돌아오면 되니까 꼭 다녀오는 게 좋겠구나.”
박사는 몹시 흥미를 보이며 류스케에게 다녀오라고 권했다. 류스케는 결국 메트라스 박사의 초대를 받아들이기로 했다.

두 사람은 망보기로!!

그날 저녁이었다. 류스케는 친한 친구 펀치 소타와 여동생 후미코와 함께 자동차로 일본 호텔로 갔다. 차는 일본 호텔의 모퉁이까지 와서 멈추고, 소타와 후미코는 거기서 내렸다.

"자, 부탁할게."

류스케는 목소리를 낮추고 속삭였다.

"오늘밤 만찬에서는 어쩌면 재미있는 일이 벌어질지도 몰라. 알겠지? 메트라스 박사의 방은 2층 5호실, 저기 왼쪽에서 세 번째 창문, 불 켜진 곳이야. 망을 잘 봐줘."

"알겠습니다요, 하루타 씨!"

펀치 소타는 가슴을 두드리며 대답했다.

"망보기는 맡겨주십쇼. 한동안 주먹을 못 썼더니 팔이 근질거려 죽겠어요. 어떻게든 싸움이라도 벌어지게 해주세요."

"일부러 싸움을 걸 사람은 없겠지만 어쩌면 네 주먹이 필요할지도 모르겠다."

류스케는 웃더니 여동생을 돌아보았다.

"자, 후미짱도 망보는 걸 도와줘, 부탁할게."

"응, 알았어. 갔다 와!"

후미코는 미소지으며 오빠 손을 잡았다. 류스케는 성큼성큼 호텔로 서둘러 갔다. 두 사람은 가로수 그늘에 몸을 숨기고, 꼼짝하지 않고 메트라스 박사의 방을 지켜보았다.

요란한 총소리 두 발

류스케가 호텔에 도착하자 예복 차림의 멋진 외국인 셋이 마중나와 정중하게 메트라스 박사의 방으로 안내했다. 방에는 이미 고급스러운 만찬이 준비되어 있었고, 신사 셋은 바로 류스케를 테이블로 안내했다.

"잠시만 기다려주세요. 곧 박사님이 나오실 겁니다."

한 사람이 조금 서툰 일본어로 말했다. 류스케는 고개를 끄덕이고 가만히 실내를 둘러보았다. 그로부터 5분도 채 지나지 않아 칸막이 문이 열리고 백발의 노신사가 방에 나타났다.

"메트라스 박사입니다."

좀 전의 외국인 신사가 류스케에게 그렇게 알려주었다. 류스케는 의자에서 일어나 인사했다. 메트라스 박사는 날카롭게 반짝이는 눈동자로 류스케를 지그시 보았다. 류스케는 박사의 눈을 보고 무의식중에 소름이 쫙 끼쳤다. 그 눈빛은 마치 사람을 죽이러 온 남자처럼 으스스한 눈빛이었다.

"당신이, 하루타 씨, 인가요?"

박사는 별안간 표정을 누그러뜨리고 의자에 앉으면서 간사한 목소리로 말했다.

"제가 하루타 류스케입니다."

류스케는 큰소리로 대답했다.

"저, 상당히, 당신을, 훌륭하다, 생각합니다. 부디, 앞으로도, 탐정, 많이 해주세요. 저, 그걸 부탁합니다, 괜찮지요?"

박사는 겉치레처럼 그렇게 말했다. 류스케는 말없이 고개만 끄덕였다.

"차린 건 없지만 많이 드세요."
박사는 그렇게 말하며 식사를 권했다. 류스케는 권하는 대로 박사 일행과 같이 나이프를 집어 들었다.
식사하는 동안은 다들 조용했다.
그런데 식사가 끝나자 박사는 인사를 하더니 일어섰다. 그리고 옆에 있는 남자에게 뭐라고 명령하더니 조용히 처음 나타났던 문으로 나가 옆방으로 사라졌다.
"하루타 씨, 이쪽으로 오세요."
박사의 명령을 받은 남자가 정중하게 말했다.
"메트라스 박사님이 당신에게 소개하고 싶은 분이 있다고 말씀하셨습니다."
류스케는 고개를 끄덕이고 일어났다. 그리고 그 남자의 안내를 받아 걸으면서 만일을 대비해 바지 주머니에 넣어둔 권총을 만져보았다. 남자는 칸막이 문을 열더니 인사하면서 몸을 비켜주었다.
"들어가시지요."
류스케는 옆방으로 한 걸음 들어섰다. 메트라스 박사는 정면의 커다란 테이블에 앉아있었다.
"들어오세요!"
박사가 말했다.
류스케가 한 걸음 더 들어간 순간!! 격렬한 소리가 나며 문이 닫혔다.
"아니!"
류스케가 뒤를 돌아봤을 때 좀 전의 신사 세 명이 주먹을 쥐고 류스케를 우르르 둘러쌌다.
"젠장, 당했네!!"

류스케는 큰소리로 외치며 한 발짝 물러났다. 그러자 그때, 느닷없이 한 소년이 방 안에 나타났다.

"꼼짝 마 애송이야, 이번에는 내가 이겨!!"

"아!! 너는……."

류스케는 한번 보자마자 소리치며 엉겁결에 뒤로 물러났다. 보라, 거기 나타난 소년은 얀센 목사와 같이 범죄를 저지르고 거의 잡힐 뻔했을 때 요코하마 창고에서 자취를 감췄던 그 혼혈 소년 조지가 아닌가.

"이제 포기해, 하루타. 아무리 네가 강해도 우리 다섯 명하고는 싸움이 안 돼. 아하하하, 항복해라."

조지가 웃자마자 틈을 엿보던 류스케는 날아오르는 새처럼 몸을 날려 조지에게 달려들었다. 그때, 방의 전등이 꺼졌다. 암흑 속에서 두 발의 권총 소리가 요란하게 울렸다.

"앗!!" 하는 비명이 들리고, '털썩.' 하고 사람이 쓰러지는 소리에 이어 앓는 소리가 계속 들렸다.

"으윽, 으윽."

누가 쐈는지, 누가 맞았는지, 모든 것이 암흑 속이어서 알기 힘들었다. 류스케가 이겼는지, 조지가 이겼는지. 도대체 메트라스 박사란 어떤 놈인가!

소타의 대범한 행동

가로수 그늘에서 류스케를 걱정하며 망을 보던 후미코와 펀치 소타. 류스케가 호텔로 들어간 지 30분 정도 지났을 때, 주시하던 박사의 방이 갑자기 어두워졌다.

"어떻게 된 거지."

후미코가 소타에게 속삭였다.

"정전 아닐까요?"

"다른 곳 창문은 밝잖아!"

"그렇네요. 어쩌면 무슨 일이 일어난 건지도 모르겠어요."

소타도 걱정이 되었다.

"가 볼까요?"

"가보자."

두 사람은 서둘러 호텔로 달려갔다. 그러자 때마침, 호텔 현관에 자동차 한 대가 멈춰 있었고, 신사 두셋이 가늘고 홀쭉한 사람 몸집만 한 짐을 매우 분주하게 차에 싣고 있었다.

소타는 그 남자들을 보자마자 눈 깜짝할 사이에 후미코를 그늘진 곳으로 끌어당기고는 당황해서 속삭였다.

"큰일났어요. 저 사람은 혼혈 소년 조지예요. 류스케 씨는 놈들 때문에 위험한 상황인 게 분명해요. 아가씨는 바로 댁으로 돌아가세요. 그리고 제가 전화하면 바로 경찰과 같이 와주세요. 저는 저 자동차가 가는 곳을 알아낼게요!!"

소타가 말을 끝내자, 때마침 스르르 미끄러지며 출발하는 수상한 자동차 뒤로 날쌔게 훽 하고 뛰어올랐다. 후미코는 길가로 달려가서 택시를 보자마자 바로 잡아타고 집으로 서둘러 가자고 했다.

이런 빌어먹을, 코쟁이!!

소타는 어떻게 했을까?

소타는 수상한 자동차 뒤에서 떨어지지 않으려고 꽉 붙잡고 매달렸다. 자동차는 어둠 속을 줄곧 달렸다.

'놈들이 어디로 가는 거지?'

주의해서 둘러보니 자동차는 게이힌 국도[17]에서 요코하마 방향으로 달리고 있는 것 같았다.

"아하 요코하마구나."

소타는 이렇게 중얼거리며 계속 붙어서 매달려 있었다. 가와사키[18] 근처에 이르렀을 때, 자동차는 해안가로 들어갔다. 길이 좋지 않아서 자동차는 큰 파도에 휩쓸리듯이 요동쳤다. 떨어지지 않으려고 필사적으로 매달리는 동안 자동차는 어느새 커다란 창고처럼 보이는 커다랗고 붉은 벽돌집 앞에 와서 멈췄다.

'오호, 여기가 놈들의 소굴이네.'

소타가 그렇게 생각하고 뛰어내린 순간, 소타 뒤에서 굵고 탁한 목소리로 소리치는 사람이 있었다.

"손들어! 움직이면 쏜다!!"

소타는 깜짝 놀라 뛰어올랐다. 뒤를 돌아보자 언제 왔는지 우락부락한 남자 다섯이 권총을 들고 서 있었다. 자동차가 붉은 벽돌집의 정원으로 들어왔을 때, 남자들이 문 근처에 있어서 소타는 들켜버린 것이었다.

"이 자식, 멍청한 짓을 했구먼. 그런데 그런 짓으로 우리 은신처

---

17)京浜国道: 메이지 시대의 니혼바시와 요코하마항을 잇는 메이지 1호 국도의 통칭

18)川崎市: 가나가와현의 북동부에 있는 시

에 몰래 들어오려고 했다면 헛수고지."

다른 악당이 코웃음 쳤다. 그와 동시에 소타의 몸이 뒤로 뻗는가 싶더니 특기인 펀치가 제일 건장해 보이는 악당의 턱을 올려쳤다.

"으윽."

악당은 신음하고, 벌렁 뒤로 넘어져 기절했다.

"저 녀석! 해치워버리자!!" 라며 달려드는 나머지 악당들.

"와라!! 이 제기랄 놈들아, 코쟁이의 앞잡이가 되다니. 일본인의 명예를 깎아내리는 놈들아! 소타 님께서 지옥으로 보내주마."

욕을 퍼붓던 소타는 느닷없이 앞에 있는 악당의 옷깃을 손으로 잡더니 "이얏!!" 하고 외치며 이 삼 미터 앞으로 내던졌다.

소타는 "이 자식!" 하고 덤벼드는 다른 놈과 맞붙어서 몸을 낮췄다. 균형을 잃고 비틀거릴 때 주먹으로 올려쳤다. 그때, 소타 뒤로 몰래 다가선 한 놈이 비겁하게 권총 손잡이로 소타 머리를 내리찍었다. 소타는 "빌어먹을!!" 하고 외쳤지만, 그대로 그 자리에 기절하고 말았다.

C.C.D 잠수함

오리무중인 가운데 날이 밝았다. 날이 밝으면 하루타 박사가 수년간의 고된 연구로 발명한, 세계에 자랑할 만한 C.C.D 잠수함의 비밀 시험 운전이 요코스카에서 진행하기로 한 날이었다.

어젯밤, 장남인 류스케가 메트라스 박사에게 초대되어 일본 호텔로 간 다음, 행방불명이 되어 박사의 걱정은 이만저만이 아니었다. 그렇지만 그 때문에 비밀 시험 운전을 연기할 수는 없었다.

"시험 운전 준비가 끝났습니다!"

요코스카에서 걸려온 전화를 받고 마침내 결심한 박사는 후미코에게 집을 부탁한 뒤 자동차를 타고 요코스카로 향했다.

요코스카에 도착하자 해군에서는 야마가와 소장을 비롯하여 주요 장군들이 준비를 마친 뒤 기다리고 있었다.

"늦게 도착해서 죄송합니다."

박사는 야마가와 소장에게 말했다.

"실은 류스케가 어젯밤부터 행방불명이 되어서……."

"아니 류스케가?"

야마가와 소장도 놀라서 눈을 크게 떴다.

이야기를 나누며 박사 일행이 증기선에 오르자, 배는 먼바다를 향해 파도를 일으키며 전진했다. 먼바다에서는 구축함의 호위를 받으며 C.C.D 잠수함이 연결되어 있었다. 박사가 탄 증기선이 다가오자 구축함에서는 경례했고, 줄지어 선 나팔수가 연주하는 국가가 맑게 울려 퍼졌다. 비밀 시험 운전이어서 외국의 무관은 한 사람도 없었고, 근해 55km 안으로는 어선조차 보이지 않았다.

드디어 시험 운전을 할 때가 되었다.

하루타 박사는 야마가와 소장과 함께 기관병과 승무원을 따라 잠수함에 올라탔다.

"만세-에."

환호하는 소리가 구축함과 몇 척의 해군 증기선 위에서 들끓었다.

보라! 바야흐로 세계적인 발명, 놀랄 만한 잠수함 C.C.D가 움직이기 시작했다. 이 잠수함 하나만 있으면 어떤 나라와 전쟁을 해도 손쉽게 승리할 수 있을 것이다.

잠수함은 한동안 바다 위에서 모습을 드러내고 조용히 파도를 가르며 나아갔으나 이내 점점 잠항을 시작하여 마침내 물속으로 사라지고 말았다.
구축함과 증기선에서 시험 운전을 지켜보던 장군들은 한 손에 시계를 들고, '잠수함이 어디에서 나타날까?' 하고 마른침을 삼키며 기다렸다. 10분, 20분, 30분.
"어떻게 된 거지?"
한 사람이 더는 못 기다리겠다는 듯이 말했다.
"무슨 문제라도 생긴 거 아냐?"
다들 슬슬 걱정되어 마음을 졸이기 시작했다. 잠수함이 가라앉고 나서 한 시간이 지났지만, 끝끝내 그 모습이 보이지 않았다. 그때였다. 남쪽 하늘에서 수상한 회색 비행정 한 대가 날아오는 모습이 보였다.
"아, 뭐지 저 비행정은?"
구축함의 장교가 소리치는 사이 수상한 비행정은 매처럼 돌진해와서 눈 깜짝할 사이에 폭탄을 투하했다. 떨어진 폭탄은 구축함의 바로 근처에 떨어져 산처럼 커다란 물보라를 일으키며 폭발했다.
"저기다!!"
구축함에서도 바로 전투 준비를 하여 고사포로 수상한 비행정을 조준해서 쏘기 시작했다.

앗, 추락이다.

메트라스 박사의 방, 그 어둠 속에서 격렬한 몸싸움을 시작했던 류스케는 어떻게 됐을까.

혼혈 소년 조지를 상대로 엎치락뒤치락하며 맞붙어 싸웠던 류스케는, 결국 수상한 신사 셋에게 제압당해 마취제로 정신을 잃고, 그만 칭칭 묶인 채로 깊이 잠들고 말았다.

그리고 몇 시간이 흘렀을까.

'부루루루루루.' 하는 시끄러운 소리에 문득 정신을 차려 보니 류스케는 비좁은 방에 몸이 단단히 묶인 채 쓰러져 있음을 깨달았다.

"젠장, 결국 당했네!!"

류스케는 분하다는 듯이 중얼거리며 어떻게든 묶인 밧줄을 풀어 보려 했지만, 단단한 밧줄은 꿈쩍도 하지 않았다.

"대체 여긴 어디지? 저 부루루루 하는 소리는 뭐지……?"

주위를 둘러보니 바로 옆의 벽에 작은 유리창이 있어 류스케는 창문에 닿을 정도로 몸을 가까이 대고 들여다보았다.

"아니!!"

창문을 들여다본 류스케는 놀라서 소리를 질렀다.

"여긴 비행기 안이네……?!"

그랬다. 창문으로 보니 저 멀리 아래쪽으로 빛나는 바다가 보였다. 부루루루 하는 소리는 류스케가 탄 비행기의 프로펠러 소리였다.

"제기랄, 날 비행기에 태워서 대체 어디로 데려가려는 거지?"

창문을 계속 들여다봤더니 비행기에서 무언가 검은색 물체가 떨어졌다. 그 검은 물체는 바다에 떠 있는 군함 옆에 떨어져 하얀 물보라를 일으키며 폭발했다.

"아니! 폭탄이잖아!!"

류스케가 외치자마자 비행기는 폭탄을 연달아 투하했다. 그러자 바다 위에서는 군함이 검은 연기를 자욱하게 피워내며 움직이기 시작했고, 포탑에서 '팍!' 하고 불꽃이 번쩍이며 고사포를 쏘기 시작했다.

"좋아! 그렇지! 잘하고 있어!"

류스케는 자신도 모르게 쾌재를 부르며 고사포를 쏘는 군함에 만세를 외쳤다.

그때 비행기는 어딘가에 탄환을 맞았는지 '덜커덕.' 하고 크게 한 번 휘청이는가 싶더니 비행기 앞머리가 아래쪽으로 떨어지는 돌처럼 낙하하기 시작했다.

"앗!! 추락한다!!"

류스케는 아우성치면서 필사적으로 밧줄을 끊으려고 발버둥 쳤다.

요코스카 상공에 느닷없이 나타나서 폭탄을 투하한 수상한 회색 비행정은 구축함의 고사포에 맞아 그만 바다 깊이 추락했다.

해골섬이란?!

자동차 뒤에 매달려 가와사키 해안가에 있는 붉은 벽돌 건물의 악당 소굴에 뛰어들었고, 억울하게 악당들의 포로가 된 소타는 어떻게 됐을까?

권총 손잡이로 머리를 맞아 잠시 기절했던 소타는 곧 의식이 돌아왔다. 주위를 둘러보니 자신은 컴컴한 창고 안에 내던져 있었다.

"에이, 당하고 말았어!!"

소타는 맞아서 아픈 머리를 문지르며 일어섰다. 그곳은 벽돌 건물의 휑뎅그렁한 방으로 코를 꼬집혀도 모를 정도로 어두웠다. '출구가 없나.' 하고 손을 더듬어 찾을 때, 어디선가 사람 목소리가 새어 나왔다. 소타는 소리가 나는 쪽으로 조심스레 다가가 귀를 기울였다.

"그럼 해골섬으로 돌아가는 거지?" 하는 목소리가 낮게 들렸다. 소타가 벽에 귀를 착 붙이고 들어보니,

"그래. C.C.D 잠수함도 뺏었고, 하루타 류스케라는 애송이도 생포했잖아. 이제 해골섬으로 돌아가서 잠수함은 외국 해군한테 팔아넘기고, 류스케란 애송이는 얀센의 복수를 위해 섬 밑바닥에 생매장하는 거야!"

듣고 있던 소타는 너무 놀란 나머지 자신도 모르게 소리를 지를 뻔했다. 놈들의 말로는 박사가 발명한 잠수함은 빼앗긴 것 같았고, 류스케마저 잡혀버린 것 같았다.

"이야아아, 거 재미있겠는데. 그런데 해골섬이라니, 대체 어디에 있는 섬이야?!"

해골섬! 악당들이 C.C.D 잠수함을 빼앗고, 류스케를 생매장하려는 해골섬은 어디에 있을까? 소타는 마른침을 삼키고 귀를 기울였다.

"응, 그 해골섬은 말이야. 이 지도에 여기 빨간색 선이 그어져 있지? 여기에 있어!"

"뭐? 그런데 여기엔 아무 표시도 없는데?"

"그래, 해골섬은 말이야……."

말을 꺼낸 순간, 소타가 너무 몰입해서 몸을 붙이는 바람에 문이 '끼익.' 하고 삐걱거렸다.

"누구야!! 누구야, 거기 있는 놈!!"

악당이 소리치자마자 일어나서 오는 모습이 보였다. '들켰다!!'라고 생각한 소타가 문 뒤로 몸을 숨기자마자, 우락부락한 남자 셋이 문을 밀어젖히고 쏟아져 들어왔다.

악당들이 밝은 방에서 갑자기 캄캄한 곳으로 들어온 탓에 눈이 잘 안 보이는 틈을 노려, 날쌔게 몸을 날린 소타는 옆방으로 뛰어 들어가서 칸막이 문을 꽉 닫았다.

방안을 둘러보니 책상 위에는 지도 한 장이 놓여 있었다.

"이거야. 이것만 있으면 류스케 씨를 구할 수 있어!!"

소타는 소리치며 그 지도를 붙잡자마자 재빠르게 복도로 나가는 문으로 돌진했다. 그러자 그때 문을 열고 들어온 악당이 뒤에서 소타에게 달려들었다.

"이놈, 이번에는 지지 않겠어!!"

소타는 포효하며 달려든 녀석을 허리 돌리기로 멀리 던져버리고, 옆에 있던 의자를 잡아 전등을 세게 내리쳤다.

'팟!' 하고 꺼진 전등, 어둠 속에서 "앗!!" 하는 비명, 물건이 거세게 쓰러지는 소리가 이어졌다.

그리고 곧 검은 그림자 하나가 가와사키 마을 쪽으로 전력을 다해 계속 달렸다.

후미코가 납치되다!!

후미코는 어떻게 됐을까?

소타가 류스케와 혼혈 소년을 뒤쫓은 뒤 돌아오지 않자, 후미코는 곧 소타가 연락하지 않을까 하고 걱정하며 기다리고 있었다. 아빠는 요코스카에 잠수함의 시험 운전을 하러 가셔서 안 계시고, 저택에는 서생과 하녀, 후미코만 남아있었다.

'류스케 오빠는 어떻게 된 거지? 펀치 소타는 어떻게 된 거고?'

후미코가 그런 생각을 하면서 차를 마시고 있는데 집 뒤에서 방울을 크게 울리며 호외[19]팔이가 지나갔다.

"아아 호외!! 호외!! 요코스카 상공에 수상한 비행정이 나타났다. 폭탄을 투하하고 잠수함을 침몰시켰다. 큰일이다, 큰일이다!!"

후미코는 요코스카, 잠수함, 그 말을 듣고 자신도 모르게 일어섰다. 그때 서생이 호외를 사서 뛰어 들어왔다.

"아가씨, 큰일났어요, 선생님이!!"

"아빠한테 무슨 일이?!"

"이걸 읽어 보세요!!"

서생이 내민 호외에는 이렇게 적혀 있었다.

---

19)號外: 특별한 일이 있을 때 임시로 발행하는 신문이나 잡지

◎ *수상한 비행정 출현*

오늘 정오경, 요코스카 먼바다에서 하루타 박사가 발명한 잠수함의 시험 운전 중 기이하게도 잠수함이 바닷속에서 행방불명되었다. 바로 그때 국적 불명의 수상한 비행정 한 대가 나타나 폭탄을 투하했고, 우리 구축함이 그에 응전하여 수상한 비행정을 격추시켰다. 이를 계기로 우리 일본은 결국 모 적국과 교전을 치를 것으로 보인다.

"뭐! 그럼 아빠까지?!"

"어쨌든 경시청에라도 전화할게요, 아가씨!!"

서생도 당황해하며 서둘러 전화기가 있는 방으로 뛰어 들어갔다. 바로 그때 요코스카에서 걸려온 전화로 전화벨이 요란하게 울렸다. 후미코가 전화를 받자 상대는 진주후[20]라며 지금 잠수함이 발견되어, 박사는 구조됐으니 즉시 후미코가 차로 와 달라는 것이었다.

"어머, 다행이야!!"

후미코는 엉겁결에 뛰어오르며 외쳤다.

"아빠가 구조되었대. 차를 불러줘. 나는 지금 바로 요코스카로 갈 거야!"

서생은 뭐가 뭔지 영문도 모르는 모습으로 우물쭈물하면서 차를 불렀다.

"그럼, 소타가 돌아오면 요코스카로 오라고 해줘. 알았지?!"

후미코는 그 말을 남기고, 데리러 온 차에 올라 요코스카로 향했다. 과연 박사는 구조됐을까?

---

20)鎮守府(ちんじゅふ): 군항에 두어 한 해군구(海軍區)를 관할하던 기관

수상한 해랑(海狼)

비행정과 같이 바닷속 깊이 추락한 류스케는 한동안은 꿈속을 헤맸다. 문득 정신이 들어보니 추락할 때 격렬하게 뒤집히면서 몸을 묶었던 밧줄이 끊어졌는지 손발이 자유로워졌다.

'큰일 났다!!'라고 생각하며 소용돌이치는 파도를 가르고 또 가르며 사력을 다해 수면으로 떠올랐다. 수면으로 떠올라 보니, 어떻게 된 일인가. 좀 전에 구축함의 공격을 받고 비행정과 같이 추락한 곳은 분명 요코스카의 먼바다였는데 그곳은 낯선 반도와 작은 섬이 튀어나온 곶으로 해군의 증기선도, 구축함도 보이지 않았다.

"아니! 이거 이상하잖아!"

류스케는 양팔을 번갈아 헤엄쳐 나아가며 생각했지만, 도저히 이유를 알 수 없었다. 좌우지간 보이는 섬으로 가보자고 열심히 헤엄쳤다. 그런데 기이하게도 아무리 헤엄쳐도 섬에 가까워지기는커녕 오히려 점점 더 먼바다로 떠밀려갔다.

'이거 이상한데. 까딱하면 물에 빠지고 말겠어.' 그렇게 생각하며 열심히 양팔을 번갈아 가며 헤엄쳤지만 쏜살같은 물결은 도와주지도 않고, 순식간에 류스케를 2~3백 미터 정도 더 멀리 떠밀어버렸다.

이제는 팔다리도 해삼처럼 늘어져서 더는 헤엄칠 기운도 없어진 류스케. 운을 하늘에 맡기고 물결이 흘러가는 대로 몸을 띄우는 수밖에 없었다. 그렇게 30분이나 더 파도가 치는 대로 휩쓸리고 있을 때, 어선 한 척이 돛을 올리고 다가오는 모습을 보았다. 류스케는 남아있는 힘을 최대한 끌어내어 "여-기요, 도와주세요-." 하고 소리치면서 배가 있는 쪽으로 헤엄쳤다. 이내 어선에서도 류스케를 발견하고 배 위에서 흰색 천 조각을 흔들며 계속 말을 걸어주었다.
"어이-, 지금 곧 가요-."
어선은 돛을 펼친 다음, 4개의 노를 저어서 가까이 다가왔다. 그렇게 어선 위로 구조됐을 때, 류스케는 피로와 안도감으로 기절하고 말았다.
그리고 얼마나 시간이 흘렀을까. 류스케가 눈을 떠보니 자신은 어부의 집 난롯가에 누워있고, 옆에는 조금 전에 자신을 구해준 어부들이 걱정스럽게 지켜보고 있었다.
"오오, 이제 정신이 드는가, 아이고, 이제 안심이구먼."
나이 든 어부가 또렷하게 눈을 뜬 류스케를 보고 기뻐하며 말했다.
"아, 저는 살았군요."
류스케는 나이 든 어부의 손을 잡으면서 엉겁결에 울먹이며 소리쳤다.
"감사합니다. 여러분 감사합니다!!"
"별말씀을, 그런데 자네는 어디 사람인가?"
"저는 도쿄 사람인데, 요코스카의 먼바다에서… 그만 배에서 떨어졌습니다."
"아니? 요코스카라고?"
어부는 깜짝 놀라며 눈을 크게 떴다.
"그럼, 자네는 정말 엄청난 일을 겪었구먼. 자네는 해랑에 탔던 걸세."
"해랑이 뭔가요?"
"여기는 보슈[21]의 시라하마라는 마을이야. 자네는 해랑을 타고

21)房州: 현재 지바현의 남부에 해당하는 지역

한 시간 만에 바다 안을 약 12km나 달린 거지. 해랑은 그런 요괴거든.”

그리고 어부는 해랑 이야기를 했다.

류스케 돌아오다

요코스카의 먼바다 어느 지점에는 그 지역의 어부들만 아는 이상한 조류가 있었다. 그것은 간조와 만조 때 특히 거세지는 조류였다. 그 조류에 휩쓸렸다가는 결국 아무리 큰 배라도 바다 아래로 휘말려 들어가서 산산이 부서진 후, 보소반도[22]에서 37km 정도나 떨어진 먼바다로 내쳐지고 마는 것이다. 이 악마 같은 조류를 그 지역의 어부들은 ‘해랑[23]’이라 부르며 두려워했다.

“자네는 그 해랑에 휩쓸렸던 게지. 그런데도 목숨을 건졌으니 불가사의하다고 말할 수밖에. 모쪼록 천천히 요양하는 게 좋을 걸세.”

어부의 이야기를 들은 류스케는 해랑의 무서움에 새삼스레 몸을 떨었다.

류스케는 하루 쉬고 난 뒤, 집의 일이 제일 걱정이 되어 만류하는 어부들의 손을 뿌리치고 도쿄로 서둘러 갔다.

료코쿠 역[24]에 도착했을 때는 저녁 무렵이었고, 도쿄 거리에는 이미 전등이 켜져 있었다. 왠지 2~3년 동안이나 긴 여행을 하고 돌아온 듯한 그리운 기분이 들어 류스케는 한동안 거리의 불빛과 떠들썩한 모습을 멍하니 보았다. 료코쿠에서 자동차를 타고 바로

---

22)房総半島: 지바현 남부에 있는 반도
23)海狼: ‘바다 늑대’라는 뜻
24)両国駅: 도쿄도 도시마구에 있는 JR역

집으로 돌아간 류스케가 현관으로 뛰어오르려는 순간, 안에서 흥분으로 얼굴이 벌겋게 되어 달려 나오는 펀치 소타와 딱 마주쳤다.

"아니!! 도련님이시네요!!"

"또 도련님이라고 할 거야?!"

"에이, 이럴 때는 이름이 생각나겠어요. 다행히 무사하셨네요. 대체 어떻게 되셨던 거예요!!"

"그건 나중에 이야기할게. 그런데 집에는 별일 없었어?"

"없다니요?! 온갖 일이 다 일어났지요. 그때부터 다 엉망진창이었어요."

"뭐? 무슨 일이 있었던 거야?"

"일어날 수 없는 일이, 실은……."

입을 뗀 소타는 자신이 유괴된 일, 박사가 잠수함과 같이 행방불명된 것, 거기에 더해 후미코가 "박사를 구했으니 요코스카로 오라"는 전화에 속아서 혼자 자동차를 타고 나갔다가 행방불명되었다고 간략하게 말했다.

자, 앞으로 류스케는 어떤 활약을 하게 될 것인가?

이거야!! 해골섬 지도

"그러고 말이죠. 놈들은 류스케 씨를 해골섬 아래에 생매장하고, C.C.D 잠수함을 외국 군사 스파이한테 판다고 했다고요!"

"그 해골섬이 어디인지 들었어?"

류스케는 서둘러 물었다.

"지도를 가로챘지요. 이쪽으로 오세요!"

소타는 먼저 일어나 집 안으로 뛰어 들어갔다.

"이거예요."
소타는 대형 군용지도 한 장을 펼쳐 보였다.
"이 빨간 선이 그어져 있는 곳이 해골섬이라고 하던데요?"
"그런데 거기에는 섬도 아무것도 없잖아."
그랬다. 그 지도에는 빨간 선은 그어져 있었지만 섬이라고 표시되어 있지 않았다.
"그게 말이죠. 제가 옆 방에서 듣고 있었는데 한 녀석이 '야, 여기에 섬은 없잖아.' 하니까 다른 한 녀석이 '그래, 해골섬은 말이야…….' 하고 말을 꺼낸 순간, 제가 소리를 낸 바람에 몸싸움을 한바탕 해버려서 어딨는지는 알 수 없었어요."
"흐음."
류스케는 소타의 말을 들으면서 지도를 보고 무언가 깊은 생각에 잠겼다.
"C.C.D 잠수함의 행방불명…… 수상한 비행정…… 해골섬…… 어?!"
그러다 곧 류스케는 토끼처럼 뛰어올랐다.
"알았다!! 알아냈어!!"
류스케는 미친 듯이 전화기로 달려가 요코스카의 진주후에 전화해 구축함 두 척, 비행정 두 대로 모든 전투 준비를 하여 바로 출동할 수 있게 해달라고 부탁했다.
"자, 소타. 대습격이야!! 놈들을 일망타진하는 거야, 대습격!! 대습격!!"
소타는 어리둥절해하면서도 구축함이니, 전투 준비라느니 하는 말을 듣고 같이 뛰어오르면서 외쳤다.
"자, 대습격이야!! 전쟁이야!!"

마취제로 정신을 잃다

한편, '잠수함이 발견되었다! 아빠가 구조되었다!'라는 전화를 받고, 기쁜 나머지 무턱대고 자신을 태우러 온 자동차에 올라 요코스카로 갔던 후미코는 어떻게 됐을까?

후미코는 그저 조금이라도 빨리 아빠의 무사한 모습을 보고 싶은 생각뿐이었다. 그 생각에 자동차 안에서도 마음이 조급했다. 차가 요코하마를 가로질러 호도가야[25]를 지나고, 도쓰카[26]에 왔을 때였다. 조수석에 탄 사람이 돌연 후미코가 앉은 곳으로 뛰어들었다.

"아니! 뭐 하시는 거예요!!"

놀란 후미코가 몸을 일으키려는 순간, 수상한 조수는 호랑이처럼 후미코에게 덤벼들어 어깨를 끌어안자마자, 이상한 냄새가 나는 손수건을 후미코의 코에 꽉 눌러댔다.

'아, 속았어. 거짓 전화로 유인해낸 거야, 분해.'

후미코는 그렇게 생각하며 어떻게든 벗어나려고 발버둥 쳤으나 코에 닿은 손수건의 이상한 냄새를 맡는 사이 어느새 머리가 멍해졌다. 마치 바다 아래로 빨려 들어가는 것처럼 정신이 아득해지고 말았다.

"꼬마 주제에 애를 쓰기는."

악당은 마취제를 맡고 쓰러진 후미코를 그 자리에 눕히고 소리쳤다.

"자, 전속력으로 가자!"

자동차는 저물기 시작하는 도로를 화살처럼 질주했다.

---

25)保土ケ谷: 요코하마시의 중앙에 있는 구

26)戸塚: 요코하마시의 18개 구 중 가장 넓은 지역

해골섬의 덫

그 후, 몇 시간이 흘렀을까.

후미코는 문득 정신이 돌아왔다. 주변을 보니 비좁고 캄캄한 방안에 혼자 누워있었다. 벌떡 일어나서 어딘가에 출구가 없을까 하고 손으로 더듬어 기어 다니다가, 운 좋게 문 입구 같은 것을 찾아내었다. 거기서 살그머니 문을 열고 어두운 복도로 나왔다. 차갑고 습한 바람이 불어와 '아마 저쪽에 출구가 있을 거야.'라고 여긴 후미코는 발소리를 죽이고 바람이 불어오는 쪽으로 서둘러 갔다.

후미코가 약 30걸음 정도 왔나 생각될 때쯤, 어딘가 근처에서 사람 말소리가 들렸다. 멈춰 서서 귀를 기울여 보니 바로 왼쪽에 있는 방이었다. 바짝 몸을 붙이자, 방 안에서 이야기하는 소리가 또렷하게 들렸다.

"애송이 류스케는 해랑에 휩쓸렸으니까, 지금쯤 이미 물고기 밥이 됐겠지."

"그래도 애송이 대신 여동생을 납치했으니까 그 여자애를 이 해골섬에 생매장해 버리자고."

"응, 그러자. 어쨌든 오후 두 시 십 분에 섬 아래에 있는 화약 1톤을 터뜨리기로 했잖아. 그러면 이 해골섬도 여자애도 그 하루타 박사도 박살 나겠지."

"그리고, 우리는 메트라스 박사한테 C.C.D 잠수함을 팔고 일본을 떠나는 거야. 아아 통쾌해, 아하하하하!!"

듣고 있던 후미코는 무의식중에 부들부들 몸서리를 쳤다.

'틀림없이 악당의 소굴인 해골섬에 납치된 거야. 그리고 메트라스 박사란 사람은 사실 C.C.D 잠수함의 비밀을 캐내러 온 외국의 군

사 스파이였어!'

후미코는 모든 상황을 이해했다. 그러나 이제는 모두 끝장이었다. 오빠 류스케는 해랑에 휘말려서 죽었다. 아빠와 자신은 곧 해골섬과 같이 화약 1톤에 산산조각 날 것이다.

"아아, 하느님!!."

후미코는 무심코 소리치며 그 자리에 엎드려 울었다.

그때였다. 복도 저편에서 악당 하나가 미친 사람처럼 욕을 퍼부으며 달려왔다.

"다들 큰일이야!! 제기랄. 해군이 몰려들어 오고 있어!! 구축함이 온다고!! 큰일이야!! 젠장. 큰일 났!!"

대습격!!

그때!

요코스카 먼바다에서 구축함 두 척이 전시 태세를 갖추고 조용히 남쪽으로 계속 전진하고 있었다. 앞장선 구축함 위에는 우리의 하루타 류스케가 한 손에 쌍안경을 들고, 함장과 같이 서 있었다. 하늘에는 해상의 구축함을 호위하듯 비행정 두 대가 날고 있었다.

"썰물은 몇 시입니까?"

류스케가 함장에게 물었다.

함장은 손목시계를 보며 대답했다.

"정확히 2시 10분 전인데 지금 1시 30분이니까 20분 뒤가 썰물이겠네!"

류스케는 고개를 끄덕이고 해골섬 지도를 펼치면서 나침반과 눈싸움을 시작했다.

구축함은 이윽고 미사키[27]를 돌아서 보슈 외곽으로 방향을 돌렸다. 전진한 지 20분, 바다는 썰물의 절정이었다.

지도와 나침반을 번갈아 보던 류스케는 곧 고개를 끄덕이자마자 신호병에게 전령서 한 장을 건넸다. 신호병은 즉시 비행 중인 비행정 두 대에 신호를 보냈다.

<그 장소에 폭탄을 투하해라!>

비행정은 곧바로 낮게 원을 그리기 시작했다.

"함장님!"

류스케는 함장을 돌아보면서 말했다.

"기관포 발사를 준비시키세요. 이제 곧 놈들이 나타날 겁니다."

"준비!"

함장의 명령 한마디에 구축함 두 척에는 각각 2문의 기관포가 실탄을 장착하고 즉시 사격 준비를 마쳤다.

이때, 비행정이 투하한 폭탄은 소용돌이치는 해랑 안으로 떨어져 산 같은 물보라를 일으키며 폭발했다. 자 다시 폭발!! 자! 또 한 발!!

바다 위는 금세 물보라로 뒤덮이고, 바닷물은 끓어오르듯 거품을 일으켰다. 구축함 위에서 기관포를 쏘던 모든 해병이 '이제 수상한 것이 나타나려나.' 하고 마른침을 삼키고 해수면을 바라보았다.

---

27)三崎: 현재 가나가와현 미우라(三浦)시의 남서부 지역에 해당

크게 당황한 메트라스

"큰일이다! 큰일 났어!!"

목이 터지도록 절규하며 달려온 부하 목소리를 들은 해골섬의 악당들은 발바닥에 불이라도 붙은 듯 야단법석을 떨며 허둥대기 시작했다. 그중 검은 복면을 쓴 외국인 한 명이 크게 외쳤다.

"다들 진정해. 이 섬은 바다 위에서는 보이지 않아. 적들에게 들킬 리가 없어. 조용히 해!!"

그런데 그 말이 끝나기 무섭게 악당들의 머리 위로 '두두두두둥.' 하며 하늘이라도 무너질 것처럼 굉장한 소리가 났다.

"깜짝이야!"

"뭐지?!"

"무슨 일이지?"

악당들이 새하얗게 질려서 소리치자마자, 또 '두두두두둥' 하는 소리가 무섭게 울렸다.

"밖으로 나가자!!"

누군가가 소리쳤다.

"그래, 밖으로 나가자! 적들이 폭탄을 떨어트리고 있어. 이대로 여기에 있다간 폭탄으로 섬이 무너질 거야."

다른 악당도 소리쳤다. 이성을 잃은 우락부락한 남자들은 그 말을 듣고, 다들 동시에 "와아" 하고 비명을 지르면서 복도 밖으로 뛰쳐나갔다.

복면을 쓴 외국인은 당황해서 목이 터질 듯 고함치며 모두를 진정시키고 있는데, 그때 숨을 헐떡이며 뛰어 들어온 소년을 보더니 복면을 벗고 소리쳤다.

"조지, 이게 어떻게 된 거야!"
복면을 벗고 소리친 사람은 메트라스 박사였다. 혼혈아 조지가 뛰어 들어오며 대답했다.
"젠장! 또 그 류스케 녀석이에요. 그놈은 해랑에 안 휩쓸렸더라고요. 지금 구축함 두 척과 비행정 두 대를 지휘해서 습격한 거예요. 이제 도망칠 방법이 없어요!"
"좋아!"
메트라스 박사는 끄덕였다.
"그럼, 한동안 묶어뒀던 C.C.D 잠수함으로 도망갈 수 있는 데까지 가보자, 따라와."
메트라스는 앞장서서 조지를 이끌었다.

대습격!! 대습격!!

구축함 위에서는 류스케가 한 손을 들어 올리고, 눈으로는 해수면을 노려보고 있었다. 사람들은 손에 땀을 쥐고 류스케의 손이 내려오기만을 기다리고 있었다.
"준비!"
류스케가 외쳤다.
보라, 바닷물이 별안간 물거품을 일으킨 사이에, 세상에!! 세상에나!! 거기에 사방이 삼천 평이나 됨직한 섬이 난데없이 솟아오른 게 아닌가. 사람들은 생각지도 못한 광경에 몹시 놀라 "앗!" 하고 소리를 질렀다.
섬이 솟아오른 순간, 섬의 나무 그늘에서 기관포 2문이 불쑥 나타났다. 간발의 차이로 류스케가 한쪽 손을 내렸다. '두두두두둥.'

하고 울리는 소리와 함께 구축함 두 척, 4문의 기관포는 적을 기선 제압하고, 일제히 사격을 시작했다.
적도 만만치 않았다. 섬 그림자를 방패 삼고, 순식간에 네다섯 대의 기관포를 갖고 나와 콩을 볶는 듯한 소리를 내며 필사적으로 응전하기 시작했다.
그때, 저공비행 중이던 비행정 한 대에서 신호가 왔다.
<적이 섬 뒤편에서 태평양 쪽으로 잠수함을 타고 도망치려고 함>
"아뿔싸"
류스케는 당장 신호를 보냈다.
<즉시 수면으로 내려올 것>
비행정 제100호는 곧장 구축함 옆으로 내려왔다. 거기에는 바로 펀치 소타가 타고 있었다.
"어서요. 도련님 서두르세요. 저건 분명히 C.C.D 잠수함이에요!"
"좋아. 그럼 함장님 해골섬 공격을 맡아주세요. 섬에는 어쩌면 저희 아버지와 여동생이 있을지도 모릅니다!!"
류스케는 함장에게 그렇게 부탁하면서 날쌔게 비행정으로 옮겨타고 하늘로 돌진해 나갔다.
"전원, 총공격!!"
함장은 신호수에게 명령했다. 추가로 기관포 2문이 사격을 시작했다. 6문의 포화가 해골섬 위에 비처럼 쏟아졌다.

해저의 난투

한편 비행정은 저공비행을 하며 남쪽으로 날아갔다.
“자, 저기 보입니다.”
비행 장교가 가리키는 바다 위를 내려다보니 예상대로 감청색 바닷물 아래에 검은 고래 같은 것이 계속 남쪽으로 엄청난 속력으로 진행하고 있었다.
‘그래, 저 정도 속력으로 나가는 잠수함은 하루타식 C.C.D 호 말고는 없어. 그런데 어떻게 저걸 멈추면 좋을까?’
류스케도 머리를 싸매며 생각에 골몰했다.
“폭탄을 투하하겠습니다.”
“그러다 잠수함을 맞추면요?”
“걱정 마십시오. 맞추지 않겠습니다!”
장교는 자신만만한 모습으로 비행정을 급강하해 돌진하는 잠수함의 코앞에서 빙그르르 원을 그리면서 폭탄을 떨어트렸다. 폭탄은 물속 깊이 들어가서 폭발했다.
“보십시오!”
장교는 소리쳤다.
“놈들이 진로를 바꿨습니다.”
예상한 바와 같이 바로 코앞에 폭탄을 맞은 잠수함은 흔들흔들 크게 요동치면서 급히 왼쪽으로 방향키를 돌렸다. 그러자 비행정은 기다렸다는 듯 바로 그 앞에 또 한 발 투하. 잠수함은 더 당황해서 오른쪽으로 돌았다. 그 바로 앞에 또 한 발 투하.
그렇게 겨루기를 다섯 번. 결국, 잠수함은 버티기 힘들었는지 거품을 뿜으며 해수면 위로 떠올랐다. 잠수함이 떠오르기를 기다리던 비행정이 빙글빙글 돌면서 잠수함 옆으로 내려왔다.
"소타! 가자!!"
류스케가 소리쳤다.
"오케이."
오른손에 권총을 든 류스케와 소타는 잠수함으로 훌쩍 뛰어올랐다. 둘은 잠수함의 철판을 힘겹게 열고, 해치[28]를 원숭이처럼 미끄러져 내려갔다. 아래에서는 메트라스 박사와 조지가 기다리고 있었다.
"왔군, 애송이!"
메트라스 박사가 큰소리쳤다.
"이제 포기해 메트라스, 조지도 각오해라. 이번엔 도망 못 가!!"
"네놈이야말로 때려죽여 주마."
말이 떨어지기 무섭게 혼혈아 조지가 숨겨둔 권총을 꺼내자마자 '팡! 팡!' 두 발을 연달아 쐈다.
"앗! 젠장!!"
류스케가 소리치며 그 자리에 털썩 쓰러졌다. 그걸 본 소타는 "야 이놈!!" 하고 울부짖으며 쥐처럼 메트라스 박사에게 달려들었다.
"어때 애송이, 이 조지 님의 솜씨에 겁먹었냐?"
조지가 쓰러져 있는 류스케의 옆구리를 걷어차려는 그 순간!! 벌떡 일어난 류스케가 주먹을 쥐고 밑에서 힘껏 조지의 턱을 올려쳤다. 류스케는 총에 맞지 않았다.
"으윽!"
신음하며 비틀거리는 조지에게 류스케가 덤벼들었다. 쓰러뜨리고

28)hatch: 사람이나 화물의 출입을 위해 설치한 갑판의 개구부

도 모자라 계속 주먹질을 가해 넘어뜨렸다.
"너무 하네요, 도련님!"
반대편에서 소타가 소리쳤다.
"그러시면 펀치 소타의 특기를 가로채는 거잖아요!!"
이렇게 해서 혼혈아 조지, 메트라스 박사 두 사람은 젖은 걸레처럼 푹 쓰러져버렸다.

사건 해결

해골섬의 일당은 그때 이미 구축함에 체포되어 있었다. 물론 후미코와 하루타 박사는 무사히 구출되었다. 구축함에 C.C.D 잠수함을 되찾고, 메트라스와 조지를 붙잡은 류스케와 소타가 돌아와서 다들 환성을 지르며 요코스카로 가는 귀항길에 올랐다.
미사키를 막 지나려고 할 때, 대지가 무너지는가 싶을 만큼 크게 울리는 소리가 나서 돌아보니 해골섬이 있었던 곳은 자욱한 물안개로 뒤덮여 있었다.
"해골섬은 화약 1톤으로 산산이 부서졌어. 이제 그 무서운 해랑은 없어진 거야!"
류스케는 구축함 위에서 감개무량한 모습으로 말했다. 모두 하나같이 눈물겨운 마음으로 사라지지 않는 물안개를 바라보고 있었다.

"자, 제가 어떻게 해골섬의 위치를 알았는지 말씀드리겠습니다!"
며칠 후, 류스케는 해군의 장군들과 대학의 과학자가 마련한 축하 자리에서 다음과 같이 말했다.
"제가 비행정에서 추락했을 때, 해랑에 휩쓸려 한 시간에 12km

나 넘게 멀리 휩쓸려 갔습니다. 그런데 이 지도의 빨간 선을 잘 보면 딱 그곳이 해랑이 흐르는 길입니다. 이곳은 분명 악당들이 해랑의 조류를 이용해서 바닷속에 해골섬이란 걸 만들고, 거기에 장치해서 숨겨둔 게 분명하다고 생각했지요. 놈들은 C.C.D 잠수함의 시험 운전 때, 해랑이 맹렬하게 흐르는 힘과 해골섬에 설치했던 기계의 힘으로 잠수함을 해골섬으로 끌어당겨서 숨겨버렸던 겁니다. 그리고 메트라스 박사란 자는 바로 얀센 목사였습니다. XX 국에서 보낸 군사 스파이입니다. 항상 요새지대의 사진 같은 걸 찍었는데 이번에 전부 압수했습니다. 그럼, 이제는 제 친구 한 명을 여러분께 소개하겠습니다."

류스케는 옆에 있는 소타를 일으켜 세우고 말했다.

"이 친구는 저를 위해 항상 목숨을 다 거는 친구, 펀치 소타입니다. 이번 사건에서도 가장 큰 공을 세웠습니다!!"

펀치 소타는 고개를 들고, '까닥'하며 어색한 인사를 하면서 더듬더듬 말했다.

"아-, 아, 저, 저의, 두목님은 하루타 류스케 씨이고, 저는, 저는 펀치 소타입니다. 화살도 총도 두렵지 않습니다, 에헴."

이로써 해골섬의 모험도 순조롭게 끝났다.

제4화 목걸이 사건의 수수께끼

신년회

1월 7일 이른 저녁, 나나쿠사가유[29]를 먹으며 새해를 맞이하기 위해 와카바야시 자작은 자택에 친척과 친구들을 초대해 신년회를 열었다.

모인 사람은 열 명이었고, 그중에서도 특히 이목을 끈 사람은 소년 탐정으로 이름을 빛낸 하루타 류스케와 류스케의 조수인 펀치 소타, 그리고 경시청에서 명탐정으로 불리는 가시다 형사, 세 사람이었다. 이들 셋은 작년 도쿄를 중심으로 일어난 큰 범죄를 수사해서 훌륭한 공적을 올린 양대 실력자로 그날 저녁은 서로 처음 만나는 자리였다.

"저는 하루타입니다."

삼촌 와카바야시 자작이 소개할 때 하루타는 겸손하게 먼저 악수를 청하면서 인사했다.

"말씀 많이 들었습니다. 잘 부탁드립니다."

---

29)七草粥: 봄나물 일곱 가지를 넣어 끓인 죽으로 그해의 무병 무탈을 기원하며 먹는다

그런데 가시다 형사는 마치 '이 애송이는 뭐야.' 하듯 힐끔 쳐다볼 뿐 "아-." 하더니 하루타가 내민 손을 잡으려고도 하지 않고, 얼른 자기 자리로 가버렸다.

옆에서 형사의 무례한 태도를 본 펀치 소타는 이를 부득부득 갈면서 팔을 걷어붙였다.

"도련님, 제가 저놈을 때려눕혀 주겠습니다!"

그러나 하루타는 그런 일로 화를 내는 속 좁은 사람이 아니었다. 멀어져 가는 형사의 뒷모습을 보고 어깨를 으쓱하고 후후 웃으며 말했다.

"됐어, 참아. 저 사람은 언젠가 스스로 내 손을 잡으러 오게 될 거야. 지금은 참아야 할 때야." 그러면서 소타의 어깨를 두드렸다.

"자, 여러분."

와카바야시 자작은 모인 손님들을 향해 외쳤다.

"식사 준비가 되었다고 합니다. 오늘 저녁은 베이징에서 뛰어난 요리사를 모셔 와 정통 베이징 요리를 준비했습니다. 자 어서 자리로 가시지요."

손님들은 이야기를 나누면서 자작 뒤를 따라 식당으로 들어갔다.

황색 다이아몬드 목걸이

손님들은 식사하는 동안 하루타가 활약한 이야기로 떠들썩했다. 와카바야시 자작은 자기 조카 자랑이니 말없이 가만히 있을 리가 없었다. 잠수함 비밀사건이며, 유령 살인사건, 그리고 최근에 해결한 메트라스 박사 사건에 이어 해골섬 사건까지. 자신의 저택에서 소중히 간직하고 있는 황색 다이아몬드 목걸이를 둘러싸고 얀센 목사와 일대일로 겨뤘던 사건 등을 자기 일처럼 계속 이야기하고 있었다.

"그런데 말이죠, 자작님!"

손님 중에서 젊은 신사, 아키야마가 목소리를 높였다.

"그 문제의 황색 다이아몬드 목걸이가 아직 저택에 있다면 저희에게 보여주셨으면 좋겠습니다!!"

그러자 다른 손님들도 신사의 말에 동의하며 목걸이를 보고 싶다고 말했다.

"좋습니다. 여러분, 그럼 이야기의 중심이 되었던 그 목걸이를 보여드리도록 하지요."

자작은 바로 하녀를 불러 부인의 드레스룸에서 목걸이를 가져오라고 시켰다. 잠시 후, 하녀는 자그마한 검은 벨벳 상자를 가져왔다. 사람들은 세계적으로 유명한 목걸이를 보고 싶어서 자작 곁으로 다가갔다.

"이겁니다."

이윽고 자작은 작은 상자 안에서 눈부시게 빛나는 다이아몬드 목걸이를 꺼내 들고 사람들에게 보여주었다.

"이 목걸이는 원래 튀르키예 왕궁에서 비밀리에 보관된 목걸이로

옛 전설에 의하면 그리스 영웅인 알렉산더 대왕이 목에 걸었던 것이라고 합니다."

사람들은 자작의 이야기에 귀를 기울이며 눈을 휘둥그레 뜨고 경이로운 눈빛으로 목걸이를 바라보았다.

다이아 뺏기다

이윽고 사람들의 구경이 끝나자 자작은 목걸이를 작은 상자에 넣고 하녀에게 건넸다.

"원래 있던 곳에 갖다 놓아라."

하녀는 작은 상자를 들고 손님들 사이를 빠져나갔다.

그 뒤, 손님들이 각자 자리로 돌아가 목걸이에 관해 수다를 떨기 시작했을 때였다.

"꺄아악!! 하는 여자의 비명이 들리고 부인의 드레스룸 쪽에서 아주 거칠게 사람이 쓰러지는 소리가 났다. 순간, 사람들은 너무 놀라서 얼어붙은 듯이 서 있었다. 가시다 형사가 바로 달려나가자, 그제야 무슨 일인가 싶어 저마다 비명이 들린 쪽으로 달려갔다.

가시다 형사가 달려가 보니, 부인의 드레스룸 바깥에 아키야마 신사가 창백해진 얼굴로 넋이 나간 듯 서 있었다. 형사는 아키야마를 힐끗 봤지만, 바로 캄캄한 드레스룸 안으로 들어가 전등 스위치를 켰다. 그 순간,

"아, 없어졌다!!"

형사는 엉겁결에 소리를 지르고 멈춰 섰다.

보라, 바닥에는 하녀가 뒤로 벌렁 나자빠져 기절해 있었다. 그리고 그 옆에는 이미 텅 빈 작고 검은 벨벳 상자가 떨어져 있지 않

은가.
그곳에 자작과 손님들이 우르르 몰려오자 형사는 몹시 다급하게 소리쳤다.
“자작님, 중대한 사건입니다. 아무도 이 드레스룸에 못 들어가게 하십시오. 또 오늘 저녁에 오신 손님들께는 죄송하지만, 사건이 해결될 때까지는 한 발짝도 밖으로 나가서는 안 됩니다. 그리고……”
형사는 떨며 서 있는 손님인 아키야마에게 날카로운 시선을 보내며 말했다.
“아키야마 씨는 이리 들어오세요.”
“저도 들어가고 싶은데요, 명탐정 각하.”
이런 목소리가 들리고 손님들 사이로 류스케가 생글생글 웃으며 나타났다. 형사는 불쾌한 듯 눈썹을 찡그렸지만 퉁명스럽게 “마음대로.” 하더니 문을 콱 닫았다.

수상한 신사 아키야마

드레스룸에는 가시다 형사와 자작, 류스케가 남았다. 수상한 신사 아키야마는 방구석에 불안한 표정으로 서 있었다.
하녀는 가시다 형사가 부축해 줘서 금세 정신이 돌아왔다. 그리고 맞은 이마를 젖은 수건으로 누르면서 더듬더듬 말하기 시작했다.
“제가, 이 방에 들어오자… 갑자기 연미복을 입은 신사분이, 컴컴한 문 뒤편에서 튀어나왔습니다. 아차 싶어… 나가려고 했는데 그 순간 막대기 같은 걸로 이마를 세게 맞아서… 그대로 정신을 잃어버렸어요.”

"흐음."
가시다 형사는 하녀가 쓰러진 곳에 떨어져 있던 60센티 정도 되는 곤봉을 주워들었다. 그리고 주머니에서 지문 수첩을 꺼내, 재빨리 곤봉에 남은 지문을 채취했다.
"자, 아키야마 씨."
형사는 좀 전부터 방구석에서 떨며 서 있는 신사를 불렀다.
"미안한데, 당신 지문을 채취하고 싶은데요."
아키야마 신사는 벌벌 떨면서 다가왔다. 형사는 겁에 질린 아키야마의 손가락을 잡아서 지문 수첩 위에 찍고 나서 곤봉에 남아있던 지문과 맞춰 보았다. 가시다 형사의 얼굴에는 득의양양한 미소가 드러났다.
"맞네, 이 두 지문이 딱 맞아. 같은 지문이야."
"그건 아니야!! 오해다!!"
아키야마는 갑자기 소리를 지르기 시작했다.
"난 아무것도 몰라. 난 그런 짓 안 했어. 아니라고! 무례하네!!"
"지문이 확실한 증거예요."
형사는 쌀쌀맞게 비웃으며 말했다.
"그러면 설명을 들어보죠, 아키야마 씨. 좀 전에 하녀가 맞았을 때, 이 방 바깥에 서 있었던 사람은 당신입니다. 그때 당신은 여기서 뭘 하고 있었습니까?!"
"나는, 나는 머리가 아파서, 그래서 정원으로 나가려고 했어. 그런데 출구를 몰라서 어쩌지 하고 있는데, 갑자기 여자 비명이 들려서 달려왔어. 그때 당신이……."
아키야마 신사가 말을 끝내기도 전에 가시다 형사는 크게 웃기 시작했다.

“아니, 아키야마 씨. 거짓말을 지어내려면 좀 잘 해봐요. 그런 엉터리 이야기를, 아니 제가 그 말을 믿을 것 같습니까? 이리 오십쇼. 몸을 수색하겠습니다!!”
가시다 형사는 떨고 있는 아키야마를 끌어당겨서 몸을 구석구석 수색했다. 그런데 이상하게도 다이아몬드 목걸이는 어디에도 없었다.
“그럼 어딘가에 숨긴 게 틀림없어.”
가시다 형사는 방 구석구석, 하녀의 몸도 샅샅이 뒤졌으나 결국 목걸이는 나오지 않았다.

류스케 차례다

“가시다 형사님, 사건은 해결하셨나요?”
지금까지 가시다 형사가 했던 조사 같은 건 보지도 않고, 드레스룸 안을 자세히 살펴본 하루타 류스케가 생글생글 웃으면서 걸어나왔다.
“해결했지. 하녀가 어떤 놈한테 맞았고, 하녀를 때린 곤봉이 옆에 떨어져 있었어. 그리고 방 바깥에 신사가 서 있었지. 곤봉에는 지문이 있었고, 바로 신사의 지문이었어. 하녀는 자기를 때린 사람은 연미복을 입은 신사라고 했어. 그리고 그 신사는 연미복을 입고 있지…… 이렇게 간단 명백한 사건은 애들도 해결할 수 있어!”
“그런가요?”
류스케는 여전히 웃으면서 말했다.
“그런데, 가시다 형사님. 이런 의심이 들지 않나요? 하녀가 들어왔을 때는 전등이 꺼져 있었어요. 그랬는데 어떻게 문 뒤에서 튀어

나온 남자가 연미복을 입었는지 알았을까요? 그리고 범인은 왜 자기 지문이 묻은 곤봉을 범죄 현장에 떨어트렸을까요? 그리고 자기가 도망칠 틈도 없었는데 어떻게 다이아몬드를 숨길 수 있었을까요 ……?!"

류스케의 침착하고 확실한 의견을 듣던 형사는 그 탁월한 말에 당황했지만, 아직 류스케의 진짜 실력을 알아차리지 못했기에 이렇게 말했다.

"흠, 넌 제법 뛰어난 의견을 갖고 있군. 그럼 너는 이미 사건을 파악한 거야?"

"네, 그럼요. 가시다 형사님!"

류스케는 가볍게 웃으며 대답했다.

"저는 이미 누가 범인인지, 목걸이가 어디에 숨겨져 있는 것까지 알고 있죠."

가시다 형사는 마치 간지럽힘을 당한 고릴라처럼 이상야릇한 표정으로 류스케를 빤히 지켜볼 뿐이었다.

그때, 소파에서 쉬고 있던 하녀가 일어나 비틀거리며 세면대 쪽으로 다가갔다. 류스케는 서둘러서 하녀를 막아서고 제지했다.

"뭐 하는 거야? 너."

"저, 맞은 데가 아파서 물로 좀 식히려고요."

"나중에 해!"

류스케가 그렇게 말하고, 하녀를 원래 있던 소파로 돌려보냈다.

"그런 건 나중에 얼마든지 할 수 있어. 일단 조용히 앉아 기다려. 저 아키야마 씨, 실례지만 오늘 밤 여기 오시기 전에 다른 곳에 들른 적이 있는지 말씀해 주실 수 있으세요?"

아키야마 신사는 자기가 받는 의심이 풀릴 것 같아지자, 기운을 되찾으며 대답했다.

"그러고 보니 집을 나와 긴자에서 두 군데 들렀습니다. 한 군데는 니혼야라는 양복점으로 봄옷 재봉을 부탁했지요. 그런 다음, 다이쇼겐이라는 중국인이 운영하는 도자기 가게에 들러 칠보[30]항아리를 샀지요. 그게 전부입니다."

"감사합니다."

류스케는 입술을 꽉 다물고 일어섰다.

"사건은 이미 해결했습니다. 30분 뒤에 저는 이 사건의 주모자를 데리고 이곳에 돌아오겠습니다. 삼촌은 조리실로 가서 오늘 밤 베이징에서 온 요리사를 한 사람도 도망가지 못하게 해 주세요. 요리사 중 왼손잡이 남자가 범인입니다. 그리고 가시다 형사님은 경시청에 전화해서 팔 힘이 좋은 경찰관 10명만 급히 긴자의 다이쇼겐으로 파견하도록 명령해주세요. 자, 제가 어떻게 해결하는지 보여드리죠!"

어안이 벙벙해진 모든 사람을 뒤로하고, 드레스룸을 뛰어나간 류스케는 큰소리로 외쳤다.

"소타, 자 너의 펀치가 또 필요해, 가자!! 오늘 밤은 거물이야!!"

---

30)금, 은, 구리 따위의 바탕에 갖가지 유리질의 유약을 녹여 붙여서 꽃, 새, 인물 따위의 무늬를 나타내는 공예

때려라!! 소타!!

그 후, 30분 뒤 가시다 형사가 경찰 부대를 이끌고 한밤중에 긴자 다이쇼겐에 뛰어 들어갔을 때, 안에서는 격렬한 몸싸움이 한창 벌어지고 있었다.

“이 자식들! 한꺼번에 다 덤벼! 펀치 소타 님께서 상대해 주마. 자, 덤벼라!!”

수상한 중국인에게 둘러싸인 한복판에서 장승처럼 우뚝 서서 소리치는 사람은 펀치 소타였다. 류스케는 한 손에 자동권총을 들고 히죽히죽 웃으면서 제일 높은 곳에 서서 아무도 도망가지 못하게 감시하고 있었다.

“해치워버려!! 소타, 오늘 밤은 내가 방해하지 않을게, 실컷 때려!!”

“고맙습다! 메트라스 박사 때는 도련님께 특기를 뺏겼지만, 오늘 밤엔 이 자식들한테 소타 님이 얼마나 센지 보여줄 거야! 자, 돼지 놈들아 어서 덤벼라!!”

소타는 소리치자마자 별안간 둘러싸고 있던 우락부락한 중국인 한 사람에게 덤벼들었다. 쨍그랑!! 철썩!! 우지끈!! 와르르와르르!!

“잘한다!! 잘한다!!”

류스케는 그 모습을 내려다보면서 소리쳤다.

“멋지다! 그렇지, 때려!! 때려라 소타!”

류스케가 옆에서 부추기자, 소타는 아주 득의양양했다.

“이 자식들!! 이 새끼들!! 어떠냐!!”

소타는 이 말만 내뱉으며 잡고 때리고, 잡고 때리고, 마치 아수라처럼 가게 안을 종횡무진으로 날뛰었다.

이렇게 해서 다이쇼겐의 지하실에 숨어 있던 수상한 중국인 일당은 바로 가시다 형사 일행에게 체포되었다.
“흥, 상대도 안 되는구먼.”
소타는 흘러내리는 땀을 옆으로 닦아내며 염주를 꿰듯 줄줄이 나오는 악당들 앞에서 소리쳤다.
“우리 두목은 류스케 님이야. 그리고 나는 펀치 소타 님이시다!!”

세면대의 구조

가시다 형사와 하루타는 다시 와카바야시 자작 저택의 드레스룸으로 돌아왔다.
“자, 우선 목걸이를 꺼내죠.”
류스케는 그렇게 말하고 서생을 불렀다.
“미안한데 조리실로 가서 물이 빠지는 배수구에 망을 받치고 기다려줬으면 해.”
서생은 알겠다며 나갔다.
“자, 너는 이제 이마의 상처를 식혀 볼래?”
류스케는 하녀에게 말했다. 하녀는 그 순간 왜인지 낯빛이 싹 변했다. 그리고 떨면서 대답했다.
“아뇨. 저, 저는 이제 괜찮아요. 아프지…… 않습니다.”
“그럼, 내가 손을 씻어 볼까.”
류스케는 성큼성큼 세면대로 다가가서 물을 세차게 틀고서 손을 꼼꼼히 씻기 시작했다. 그러자 곧 서생이 큰소리로 외치면서 복도를 달려왔다.
“나왔어요! 나왔습니다, 선생님! 다이아몬드 목걸이가 배수구로 나왔습니다."

그렇게 외치며 방안으로 뛰어 들어온 서생의 양손에는 반짝반짝 빛나는 황금 다이아몬드 목걸이가 흔들리고 있는 게 아닌가.

"저기요, 가시다 형사님."

류스케는 짓궂게 웃으며 말했다.

"제가 아까 말했죠? 목걸이를 숨긴 장소도, 그리고 범인도 알고 있다고요. 범인은 하녀와 베이징에서 온 왼손잡이 요리사입니다. 아하하하! 이게 저의 추리 방식입니다."

"어떻게 이 사건을 해결했냐면요."

이윽고 한 번 더 사람들이 모였을 때, 류스케는 조용히 말하기 시작했다.

"하녀가 맞은 상처를 보니 이마 오른쪽이었어요. 마주 보는 상대의 이마 오른쪽을 때리려면 때리는 사람이 왼손잡이여야 합니다. 그렇죠, 가시다 형사님? 그런데 곤봉에 묻은 지문은 아키야마 씨의 오른손 지문이었고, 아키야마 씨는 오른손잡이에요. 그놈들이 아키야마 씨를 범인으로 몰아가려고 저지른 첫 번째 실수는 바로 이겁니다.

두 번째는 하녀가 자기를 때린 사람이 연미복을 입은 신사라고 했습니다. 그런데 캄캄한 문 뒤에서 달려 나온 사람이 연미복을 입었는지 아닌지 알 수가 없죠. 원하시면 시험해 보세요. 즉, 하녀는 아키야마 씨를 범인으로 몰아가려고 서두르다 오히려 실수를 저지른 겁니다.

가시다 형사님이 아키야마 씨를 조사할 때, 저는 드레스룸을 살펴봤습니다. 그런데 아키야마 씨가 숨어있었다고 하녀가 말했던 문 뒤에는 도리어 아키야마 씨의 무죄를 입증할 수 있는 물건이 떨어져 있었어요. 그것은 양파 조각이었습니다. 즉 거기에 숨어있었던 범인의 몸에서 그 양파 조각이 떨어진 거지요. 양파 조각은 중국요리의 재료입니다. 그렇죠, 여러분? 그리고 오늘 저녁은 중국요리를 하는 요리사가 와 있었어요. 이것만으로 사건은 해결된 거나 마찬가지죠.

그리고 또 하나 드레스룸을 살펴봤더니 세면대가 젖어있었습니다. 부인이 세면대를 사용했던 시간은 저녁에 화장할 때였습니다. 그로부터 5시간이나 지났으니까, 세면대가 말라 있어야 하는데 물기가 제법 있었어요. 그래서 저는 목걸이를 숨긴 장소도 알았던 겁니다.

요약하면 범인들은 이런 식으로 꾸몄던 거지요. 아키야마 씨가 긴자의 다이쇼겐에 들렀을 때, 어떤 기회를 틈타 그 곤봉을 아키야마 씨에게 쥐여주고, 아키야마 씨의 지문을 슬쩍 묻혀둔 겁니다. 그 뒤에 동료 한 사람을 요리사로 위장시켜 저택에 들여보내고, 하녀와 한통속이 되어 드레스룸에 들어간 순간을 노려 일부러 아키야마 씨의 지문이 묻은 곤봉으로 때렸다(그때 요리사는 자신이 왼손잡이라는 사실을 잊은 거죠). 그리고 하녀는 기절한 척하고, 그 곤봉은 눈에 띄도록 그 장소에 던져둔 거예요.

그때 요리사가 목걸이를 갖고 있으면 몸수색을 당할 때 바로 들통날 테니까, 세면대의 배수관 안에 넣어둔 거죠. 아키야마 씨가 범인으로 경찰에 끌려가면 그 후에 세면대에서 물을 흘려보내 조리실 배수구로 나오는 걸 집어서 도망가려고 계획했던 거예요."

듣고 있던 손님들은 물론이고 예상대로 가시다 형사도 얼떨결에 '아.' 하고 감탄하며 명탐정 하루타의 모습에 혀를 내둘렀다. 삼촌인 와카바야시 자작이 그때 얼마나 득의양양하게 수염을 꼬았는지 쉽게 상상이 될 것이다.

"실례했습니다, 하루타 군."

가시다 형사는 일어나 하루타에게 다가와 손을 내밀며 말했다.

"좀 전에 나는 당신을 경멸했습니다. 그러나 지금은 나 자신을 경멸합니다. 부디 좀전의 무례함을 용서해 주세요."

그 모습을 보고 있던 펀치 소타는 뭉클해져서 엉겁결에 주먹으로 코를 비비며 말했다.

"어떠냐, 우리 두목은 하루타 씨다! 그리고 나는 펀치 소타다!!"

옮긴이의 말

우리에게 많이 알려진 일본의 대표적인 문학상으로는 '아쿠타가와상'과 '나오키상'이 있을 텐데, 이 외에도 '야마모토 슈고로상'이 있음을 우연한 기회에 알게 되었다. 야마모토 슈고로상은 작가 '야마모토 슈고로(山本 周五郎)'의 이름을 딴 문학상으로 주로 서사가 뛰어난 소설에 수여하는 상이다. 그런 상인만큼 실제로 그 작가가 어떤 소설을 썼는지 흥미가 생겼고 작가의 작품을 찾아 읽어 보게 되었다.

내가 찾아 읽어 봤더니 일본의 대표적인 단편 작가로 꼽는 이유를 알 수 있었고, 아직 소개되지 않은 소설이 많아 소개하고 싶은 마음도 강하게 들었다.

작가가 쓴 수백 편의 단편소설을 틈날 때마다 읽는 중인데 그중 '소년 탐정 하루타'가 등장하는 이야기 네 편을 엮어 책으로 내게 되었다.

지금으로부터 약 백 년 전에 쓴 소설이라고는 믿기지 않을 만큼 생동감이 느껴져서 읽을 때도 재미있었다. 이렇게 생동감 넘치는 소설을 번역하고 소개할 수 있게 되어 우선 기쁘고, 내가 느낀 생동감과 박진감을 잘 전달하고자 표현에 신경을 많이 썼다. 혹여나 독자들이 그렇게 느끼지 못했다면 아직은 다소 부족한 번역가의 탓일 테다.

긴 분량은 아니지만 이렇게 책 한 권으로 나오기까지는 바쁜 학사일정에도 흔쾌히 감수를 맡아주신 이경준 선생님의 도움이 컸다. 생동감 있는 표현을 위한 조언과 편집 과정에서 흔히 저지를 수 있는 실수에 대한 언급 등 놓치기 쉬운 부분들을 많이 알려주셨기에 책의 완성도가 올라갔다. 이 지면을 빌려 이경준 선생님께 감사드린다.

'야마모토 슈고로' 작가의 작품 중 아직 알려지지 않은 소설을 찾아 꾸준히 소개해 보려 한다. 이 책이 그 첫 번째 마중물 역할이 되기를 바란다.

아무쪼록 독자들이 '야마모토 슈고로' 작가의 소설을 재미있게 읽고, 앞으로 소개하게 될 소설도 즐거운 마음으로 기다려주셨으면 좋겠다.

♠ 작가 연보 ♠

1903년, 본명은 시미즈 사토무(清水 三十六), 야마나시(山梨県) 출생.

1916년, 두 번의 큰 홍수로 야마나시에서 도쿄로, 도쿄에서 요코하마로 이사. 요코하마 시립 니시마에 초등학교를 졸업하자마자, '야마모토 슈고로'상점에 도제로 들어가 생활함.

1923년, 징병검사를 받았으나 시력이 나빠 징병을 면함. 같은 해 일어난 '관동대지진'으로 '야마모토 슈고로'상점도 피해를 보게 되어 고베로 이사. 고베에서 '밤의 고베사(夜の神戸社)'라는 곳에 편집기자로 취직.

1924년, 다시 도쿄로 돌아와 '제국흥신소'(현재 '제국 데이터 뱅크'로 기업을 전문 대상으로 하는 일본 최대의 신용조사 회사)에 입사. 문서부에 소속. 회사의 자회사인 회원 잡지 '일본의 넋(日本魂)'의 편집기자로 활동.

1926년, '문예춘추(文藝春秋)' 4월호에 '스마데라 부근(須磨寺附近)'이 게재되어 문단에 등단.

1928년, 지바현으로 이사. 그해 가을 근무 불량으로 해고됨.

1929년, 다시 도쿄로 이사. 이듬해 결혼. 자녀는 2남 2녀.

1931년, 소설가 오자키 시로(尾崎 士郎)와 스즈키 히코지로(鈴木 彦次郎)의 추천으로 고단샤(講談社)의 대중 오락잡지 킹(キング)에 시대소설을 쓰게 됨.

1936년, 고단샤의 신진작가로 대우받으며, 하쿠분칸(博文館) 출판사에서도 성인을 위한 작품을 게재하게 됨.

1943년, 일본부도기(日本婦道記)로 제17회 나오키상으로 추천되었으나 수상 거절함.

1945년, 아내가 췌장암으로 죽고, 다음 해에 재혼.

1959년, '전나무는 남았다(樅ノ木は残った)'로 '매일출판문화상(毎日出版文化賞)'으로 선정되었으나 수상을 거절함.

1961년, '아오베카 이야기(青べか物語)'가 '문예춘추독자상(文藝春秋読者賞)'으로 선정되었으나 수상을 거절함.

1967년, 간염과 심장 약화로 향년 65세의 나이로 별세.